문제로 **개념** 잡는 초등 **영문법**

Grammar, ZAP!

심화 **2**

TOPIA

구성과 특징

- 짜임새 있게 구성된 커리큘럼
- 쉬운 설명과 재미있는 만화로 개념 쏙쏙
- 단계별 연습 문제를 통한 정확한 이해
- 간단한 문장 쓰기로 완성

① Preview In Storytelling

- 본격적인 학습에 앞서 Unit 학습 내용과 관련된 기본 개념들을 동갑내기 친구인 산이와 민지, 시경이와 연아의 스토리를 통해 흥미롭고 재미있게 접할 수 있도록 도와줍니다.

② Grammar Point

- 해당 Unit의 문법 개념을 다양한 예시문과 함께 쉽게 풀어서 설명하고, 재미있는 만화로 간단한 문장 속에서 문법을 익힐 수 있게 도와줍니다.

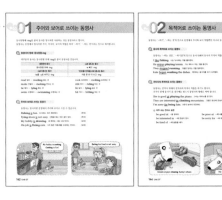

③ Grammar Walk

- 학습 내용을 잘 이해했는지 간단하게 확인하는 문제입니다. 가장 기초적인 연습 문제로 단어 쓰기, 2지 선택형, 배합형(match) 등으로 구성하였습니다.

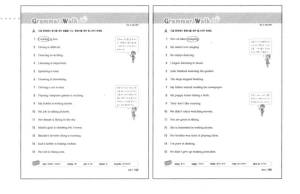

④ Grammar Run/Jump/Fly

- 학습한 내용을 본격적으로 적용하고, 응용해 볼 수 있는 다양한 유형의 연습 문제입니다.

- 단계별 연습 문제를 통해 개념을 정확하게 이해하고, 간단한 문장을 완성할 수 있도록 구성하였습니다.

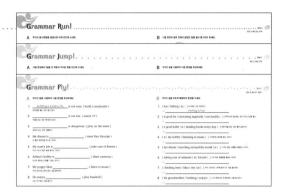

⑤ Grammar & Writing

- 창의 서술형 평가에 대비하기 위해 사진이나 그림 묘사하기, 표 해석하기, 정보 활용하기, 상황 묘사하기와 같은 문제를 수록하여 문법 개념을 이해하는데 그치지 않고 쓰기와 말하기에서도 활용할 수 있도록 하였습니다.

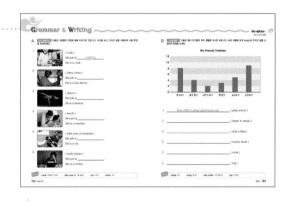

⑥ Unit Test

- Unit이 끝날 때마다 제시되는 마무리 테스트입니다. 객관식, 주관식 등의 문제를 풀면서 시험에 대비할 수 있도록 하였습니다.

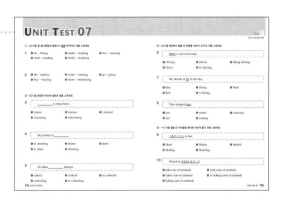

⑦ Wrap Up

- 해당 Unit을 마무리하며 요약하여 복습하고 빈칸을 채워 볼 수 있습니다.

- Check Up에서는 만화의 대화를 완성하며 마무리합니다.

활용방법

Book	Month	Week	Day	Unit	
1	1	1	1	1. 현재 시제	Unit Test 01
			2	2. 과거 시제	Unit Test 02
				Review Test 01	
		2	1	3. 미래 시제	Unit Test 03
			2	4. 진행 시제	Unit Test 04
				Review Test 02	
		3	1	5. 조동사 (1)	Unit Test 05
			2	6. 조동사 (2)	Unit Test 06
				Review Test 03	
		4	1	7. 조동사 (3)	Unit Test 07
				8. 여러 가지 문장	Unit Test 08
			2	Review Test 04	
				Final Test 01 ~ 02	
2	2	1	1	1. 셀 수 있는 명사와 셀 수 없는 명사	Unit Test 01
			2	2. 형용사와 부사	Unit Test 02
				Review Test 01	
		2	1	3. 비교 (1)	Unit Test 03
			2	4. 비교 (2)	Unit Test 04
				Review Test 02	
		3	1	5. to부정사 (1)	Unit Test 05
			2	6. to부정사 (2)	Unit Test 06
				Review Test 03	
		4	1	7. 동명사	Unit Test 07
				8. 동명사와 to부정사	Unit Test 08
			2	Review Test 04	
				Final Test 01 ~ 02	

Grammar, Zap!

심화 단계는 총 4권 구성으로 권당 4주, 총 4개월(권당 1개월)에 걸쳐 학습할 수 있도록 구성하였습니다. 하루 50분씩, 주 2일 학습 기준입니다.

Contents

셀 수 있는 명사와 셀 수 없는 명사

We have **six apples.**

똑같이 나누어 가져 볼까?

우리는 모든 것을 사이좋게
나누어 가지는 것을 좋아한다.

One, two...

사과 한 개, 두 개……
셀 수 있는 사과는 개수를 세어 똑같이
나누어 가졌다.

그런데 개수를 셀 수 없는
이 우유는 어떡하지?

셀 수 없는 것처럼 보이지만
용기를 사용하면 한 컵, 두 컵
등으로 셀 수 있다.

사과처럼 셀 수 있는 명사든, 우유처럼
셀 수 없는 명사든 세는 방법은 꼭
있다는 게 재미있다.

A glass of milk,
two glasses of milk...

01 셀 수 있는 명사

명사에는 셀 수 있는 명사와 셀 수 없는 명사가 있습니다.
셀 수 있는 명사는 대부분 일정한 형태가 있어서 한 개, 두 개 등으로 개수를 셀 수 있는 것들의 이름입니다.

A 셀 수 있는 명사의 특징

셀 수 있는 명사가 한 개일 때는 명사 앞에 a나 an을 쓰고, 두 개 이상일 때는 복수형으로 씁니다.

I have **a watch**. 나는 손목시계 하나를 가지고 있다. 〈단수〉
Alice has **three watches**. 앨리스는 손목시계 세 개를 가지고 있다. 〈복수〉

B 셀 수 있는 명사의 복수형

대부분의 명사	-o, -s, -x, -ch, -sh로 끝나는 명사
명사 뒤에 -s	명사 뒤에 -es
「자음+y」로 끝나는 명사	-f 또는 -fe로 끝나는 명사
-y를 -i로 바꾸고 -es	-f나 -fe를 -v로 바꾸고 -es

tree 나무 – **trees** 나무들   potato 감자 – **potatoes** 감자들
baby 아기 – **babies** 아기들   leaf 나뭇잎 – **leaves** 나뭇잎들

💡 단수와 복수의 형태가 같거나, 불규칙하게 변하거나, 항상 복수로 쓰이는 명사들이 있습니다.

deer 사슴 – **deer** 사슴들   sheep 양 – **sheep** 양들   〈단수=복수〉
man 남자 – **men** 남자들   tooth 치아 – **teeth** 치아들   〈불규칙〉
pants 바지   jeans 면바지   glasses 안경   scissors 가위   〈항상 복수형〉

Grammar Walk

정답 및 해설 2쪽

A 다음 명사의 우리 말 뜻을 빈칸에 쓰고, 알맞은 복수형에 동그라미 하세요.

1 watch ___손목시계___ ❶ watchs ②watches

2 key _____ ❶ keyes ❷ keys

3 country _____ ❶ countries ❷ country

4 thief _____ ❶ thiefs ❷ thieves

5 deer _____ ❶ deer ❷ deers

6 tooth _____ ❶ teeth ❷ tooths

7 cave _____ ❶ caves ❷ cavees

8 bench _____ ❶ benchs ❷ benches

9 lady _____ ❶ ladyes ❷ ladies

10 wife _____ ❶ wifes ❷ wives

11 actor _____ ❶ actors ❷ actores

12 dish _____ ❶ dishs ❷ dishes

13 shelf _____ ❶ shelfs ❷ shelves

14 child _____ ❶ children ❷ childs

15 puppy _____ ❶ puppyes ❷ puppies

「자음+y」로 끝나는 명사는 -y를 -i로 바꾸고 -es를 붙이지만, 「모음+y」로 끝나는 명사는 그냥 -s만 붙여서 복수형을 만들어.

-o, -s, -x, -ch, -sh로 끝나는 명사는 뒤에 -es를 붙인다는 것 기억하지?

-f(e)로 끝나는 명사는 -f(e)를 -ves로 바꾼다는 점에 주의해.

02 셀 수 없는 명사

셀 수 없는 명사는 일정한 형태가 없거나 눈에 보이지 않아 셀 수 없는 것들의 이름입니다.

A 셀 수 없는 명사의 특징

셀 수 없는 명사는 a나 an과 함께 쓰지 않고, 복수형으로 쓸 수 없습니다.

They want **a cheese**. (X)   They want **two cheeses**. (X)

They want **some cheese**. 그들은 치즈 약간을 원한다. (○)

gas 가스	milk 우유	butter 버터	rain 비	hope 희망	math 수학	soccer 축구
time 시간	Cathy 캐시	London 런던		Christmas 크리스마스		Monday 월요일

B 셀 수 없는 명사의 수량 표현하기

일정한 형태가 없어 셀 수 없는 명사는 용기나 단위 등을 이용해서 수량을 표현합니다.
여러 수량을 표현할 때는 숫자 뒤의 용기나 단위를 복수형으로 씁니다.

I drink **a glass of juice** every day. 나는 매일 주스 한 컵을 마신다.
Give me **two sheets of paper**. 내게 종이 두 장을 줘.

💡 자주 쓰는 셀 수 없는 명사의 수량 표현

a cup[glass] of ~ 한 잔[컵]	a bottle of ~ 한 병	a bowl of ~ 한 그릇
a spoonful of ~ 한 숟가락	a piece of ~ 한 조각	a loaf of ~ 한 덩어리
a sheet of ~ 한 장	a can of ~ 한 캔	a slice of ~ 한 조각[장]
a bar of ~ 한 개	a bag of ~ 한 자루[봉지]	

Grammar Walk

A 다음 빈칸에 우리말 뜻을 쓰세요.

1 a bowl of soup   수프 한 그릇

2 a bottle of juice

3 a loaf of cheese

4 a glass of water

5 a sheet of paper

6 a bar of soap

7 a spoonful of sugar

8 four cups of coffee

9 five cans of cola

10 three loaves of bread

11 two slices of toast

12 four bags of flour

13 six spoonfuls of salt

14 two glasses of milk

15 three bottles of shampoo

> 셀 수 없는 명사의 양을 표현할 때는 「수 +용기[단위]+of+셀 수 없는 명사」로 나타낸다는 것 잊지 마.

Grammar Run! ·······················

A 다음 셀 수 있는 명사의 복수형을 빈칸에 쓰세요.

1 cap ➡ _____caps_____

2 potato ➡ _____

3 leaf ➡ _____

4 story ➡ _____

5 man ➡ _____

6 deer ➡ _____

7 garden ➡ _____

8 dress ➡ _____

9 hero ➡ _____

10 city ➡ _____

11 wife ➡ _____

12 ox ➡ _____

13 table ➡ _____

14 holiday ➡ _____

15 woman ➡ _____

16 sheep ➡ _____

17 boat ➡ _____

18 fox ➡ _____

19 knife ➡ _____

20 country ➡ _____

21 child ➡ _____

22 mouse ➡ _____

23 building ➡ _____

24 brush ➡ _____

25 calf ➡ _____

26 tooth ➡ _____

27 foot ➡ _____

28 goose ➡ _____

29 radio ➡ _____

30 roof ➡ _____

WORDS   · **garden** 정원   · **holiday** 휴가, 공휴일   · **building** 건물   · **brush** 붓, 솔, 빗   · **calf** 송아지

B 다음 말을 알맞은 형태로 바꾸어 빈칸에 쓰세요.

1 a glass of milk ➡ two ___glasses___ of milk

2 a slice of pizza ➡ six _____ of pizza

3 a cup of tea ➡ three _____ of tea

4 a bottle of water ➡ five _____ of water

5 a bowl of rice ➡ four _____ of rice

6 a piece of cake ➡ ten _____ of cake

7 a spoonful of salt ➡ two _____ of salt

8 a loaf of bread ➡ four _____ of bread

9 a sheet of paper ➡ nine _____ of paper

10 a can of soda ➡ seven _____ of soda

11 a bar of chocolate ➡ four _____ of chocolate

12 a bag of corn ➡ five _____ of corn

13 a bowl of cereal ➡ two _____ of cereal

14 a slice of pie ➡ four _____ of pie

15 a glass of juice ➡ three _____ of juice

> 셀 수 없는 명사의 양을 복수로 표현할 때는 단위나 용기를 나타내는 말에 -s나 -es를 붙여.

Grammar Jump!

A 다음 문장을 아래와 같이 바꿔 쓸 때 빈칸에 알맞은 말을 쓰세요.

1 A baby is sleeping.
   ➡ Two ____babies____ are sleeping.

2 There was a wolf on the hill.
   ➡ There were four _____ on the hill.

3 I saw a deer in the forest.
   ➡ I saw three _____ in the forest.

4 A man was playing soccer.
   ➡ Five _____ were playing soccer.

5 Mr. and Mrs. Wilson had a child.
   ➡ Mr. and Mrs. Wilson had six _____ .

6 My brother was carrying a heavy box.
   ➡ My brother was carrying four heavy _____ .

7 Is there a bench in the park?
   ➡ Are there five _____ in the park?

8 Kevin ordered a glass of juice.
   ➡ Kevin ordered two _____ of juice.

9 Do you have a bottle of water?
   ➡ Do you have three _____ of water?

10 Give me a sheet of paper.
   ➡ Give me two _____ of paper.

11 Sarah usually eats a slice of toast in the morning.
   ➡ Sarah usually eats three _____ of toast in the morning.

12 They brought a bar of soap.
   ➡ They brought five _____ of soap.

> 앞에 둘 이상을 나타내는 말이 오면 뒤에 명사의 복수형이 오니까 알맞은 명사의 복수형을 고르면 되겠군.

WORDS · **wolf** 늑대 · **forest** 숲 · **order** 주문하다 · **bottle** 병 · **bring** 가져오다

Unit 01

B 다음 문장의 밑줄 친 우리말 뜻과 같도록 주어진 말을 사용하여 빈칸에 알맞은 말을 쓰세요.

1 They saw 버스 두 대. ➡ _____two buses_____ (bus)

2 The baby has 치아 두 개. ➡ _____ (tooth)

3 The doctor bought 감자 세 개. ➡ _____ (potato)

4 남자아이 네 명 were running in the gym. ➡ _____ (boy)

5 Nancy broke 접시 세 장. ➡ _____ (dish)

6 There are 양 네 마리 on the farm. ➡ _____ (sheep)

7 There was 나무 한 그루 in the yard. ➡ _____ (tree)

8 강아지 다섯 마리 were playing with a ball. ➡ _____ (puppy)

9 We need 쌀 한 자루. ➡ _____ (bag, rice)

10 I ate 케이크 두 조각. ➡ _____ (piece, cake)

11 Peter wants 치즈 여섯 장. ➡ _____ (slice, cheese)

12 My sister is drinking 우유 한 잔. ➡ _____ (cup, milk)

13 Put 설탕 두 숟가락 in my tea. ➡ _____ (spoonful, sugar)

14 Her mother made 수프 한 그릇 for me. ➡ _____ (bowl, soup)

15 She bought 비누 세 개. ➡ _____ (bar, soap)

WORDS · **gym** 체육관 · **break** 깨다, 부수다 · **slice** (얇게 썬) 조각 · **make** 만들다 · **bar** (비누 등) 배막대/개]

Grammar Fly! . . . .

A 다음 밑줄 친 말 대신 주어진 말을 사용하여 문장을 다시 쓰세요.

1 I bought <u>a</u> rose. (three)
➡ _____ I bought three roses. _____

2 We need <u>a</u> knife. (four)
➡ _____

3 The child saw <u>an</u> ox. (five)
➡ _____

4 She had <u>a</u> goose. (two)
➡ _____

5 He borrowed <u>a</u> dictionary from the library. (three)
➡ _____

6 Jessica gave me <u>a</u> tomato. (eleven)
➡ _____

7 Edgar raises <u>a</u> puppy. (four)
➡ _____

8 Minsu has <u>a</u> watch. (ten)
➡ _____

9 Sunny doesn't need <u>a</u> box. (three)
➡ _____

10 The police officer caught <u>a</u> wolf on the street. (five)
➡ _____

11 The driver has <u>a</u> bike. (two)
➡ _____

12 My sister was washing <u>a</u> potato. (eight)
➡ _____

WORDS · **borrow** 빌리다 · **dictionary** 사전 · **raise** 기르다 · **catch** 잡다 · **street** 거리

B 주어진 말을 바르게 배열하여 문장을 쓰세요.

1 (I ate / three / rice / bowls / of / .) 나는 밥 세 그릇을 먹었다.
➡ I ate three bowls of rice.

2 (six / of / cans / my uncle bought / corn / .) 우리 삼촌은 옥수수 여섯 캔을 사셨다.
➡ _____

3 (David has / bag / of / salt / a / .) 데이비드는 소금 한 자루를 가지고 있다.
➡ _____

4 (a / juice / glass / she drank / of / .) 그녀는 주스 한 컵을 마셨다.
➡ _____

5 (three / Meg doesn't want / pieces / cake / of / .) 메그는 케이크 세 조각을 원하지 않는다.
➡ _____

6 (she drinks / of / coffee / cups / five / a day / .) 그녀는 하루에 커피 다섯 잔을 마신다.
➡ _____

7 (he had / for lunch / pieces / pizza / three / of / .) 그는 점심 식사로 피자 세 조각을 먹었다.
➡ _____

8 (five / slices / of / they wanted / cheese / .) 그들은 치즈 다섯 장을 원했다.
➡ _____

9 (my mother gave me / soap / two / of / bars / .) 우리 어머니는 내게 비누 두 개를 주셨다.
➡ _____

10 (two / we bought / of / bread / loaves / .) 우리는 빵 두 덩어리를 샀다.
➡ _____

11 (Dad needed / spoonfuls / of / sugar / four / .) 아빠는 설탕 네 숟가락이 필요하셨다.
➡ _____

12 (paper / I will bring / sheets / two / of / .) 나는 종이 두 장을 가져올 것이다.
➡ _____

WORDS · **bowl** 그릇 · **can** 깡통, 캔 · **bag** 봉지, 자루 · **loaf** (빵) 한 덩어리

Grammar & Writing

A 정보 활용하기 수미네 반 친구들이 다음 주에 공연할 연극에 필요한 물건들을 나눠서 가져오기로 했어요. 다음 사진을 보고 친구들이 무엇을 가지고 올지 문장을 완성하세요.

1

(crayon)
Sumi will bring ___five___ ___crayons___ for the play.

2

(vase)
Minsu will bring _____ _____ for the play.

3

(kettle)
Yuri will bring _____ _____ for the play.

4

(glass)
Insu will bring _____ _____ for the play.

5

(tomato)
Sujin will bring _____ _____ for the play.

6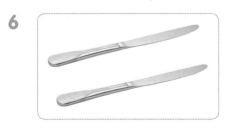

(knife)
Hyunjin will bring _____ _____ for the play.

 WORDS · **crayon** 크레용 · **bring** 가져오다 · **play** 연극 · **vase** 꽃병 · **kettle** 주전자

B 표 활용하기 다음은 루시와 친구들이 오후에 먹은 것을 나타낸 것입니다. 표의 내용에 맞게 문장을 완성하세요.

Lucy
bread
milk

Jack
cereal
apple

Amy
hamburger
cola

Oliver
cake
water

Eric
chocolate
tea

1 Lucy ate ___two slices of bread___ and drank ___three bottles of milk___ .

2 Jack ate _____ and _____ .

3 Amy ate _____ and drank _____ .

4 Oliver ate _____ and drank _____ .

5 Eric ate _____ and drank _____ .

Unit Test 01

1 다음 중 셀 수 있는 명사를 고르세요.

❶ air ❷ man ❸ music

❹ soccer ❺ Christmas

2 다음 중 셀 수 <u>없는</u> 명사를 고르세요.

❶ deer ❷ doctor ❸ milk

❹ puppy ❺ bench

[3-5] 다음 중 명사의 단수형과 복수형이 바르게 짝지어진 것을 고르세요.

3 ❶ potato – potatos ❷ wolf – wolfs ❸ baby – babies

❹ tooth – toothes ❺ boy – boies

4 ❶ key – keys ❷ box – boxs ❸ hero – heros

❹ sheep – sheeps ❺ story – storyies

5 ❶ country – countryes ❷ dish – dishs ❸ cave – cavees

❹ tomato – tomatos ❺ leaf – leaves

[6-8] 다음 우리말 뜻과 같도록 괄호 안에서 알맞은 말을 고르세요.

6

나는 설탕이 필요하지 않다.

➡ I don't need (sugar / a sugar).

7

> 그들은 어제 고기를 약간 샀다.

➡ They bought some (meats / meat) yesterday.

8

> 노튼 씨는 우유를 마시고 계셨다.

➡ Ms. Norton was drinking some (milk / milks).

[9 – 10] 다음 문장의 빈칸에 알맞은 말을 고르세요.

9

> My cousin ate a _____ of rice.

❶ bowl ❷ bar ❸ slice
❹ piece ❺ sheet

10

> They brought a _____ of flour to us.

❶ slice ❷ bag ❸ bar
❹ loaf ❺ piece

[11 – 13] 주어진 문장을 다음과 같이 바꿔 쓸 때 빈칸에 알맞은 말을 고르세요.

11

> I saw a wolf in the forest. ➡ I saw three _____ in the forest.

❶ wolf ❷ wolfs ❸ wolfes
❹ wolfies ❺ wolves

12

He gave me a watermelon. ➡ He gave me five _____ .

❶ watermelon   ❷ watermelons   ❸ watermelones

❹ watermelonis   ❺ watermelonies

13

My sister borrowed a dictionary from the library.
➡ My sister borrowed two _____ from the library.

❶ dictionary   ❷ dictionarys   ❸ dictionaries

❹ dictionaryes   ❺ dictionaryies

[14-15] 다음 문장의 빈칸에 들어갈 말이 순서대로 바르게 짝지어진 것을 고르세요.

14

· I ate three _____ of cake.
· Mom ordered five _____ of milk.

❶ piece – glass   ❷ pieces – glass   ❸ piece – glasses

❹ a piece – glasses   ❺ pieces – glasses

15

· He bought two _____ of bread.
· Claire put four _____ of sugar in her tea.

❶ loaf – spoonful   ❷ loaves – spoonful   ❸ loaves – spoonfuls

❹ loaf – spoonfuls   ❺ loafs – spoonfuls

[16-17] 다음 밑줄 친 우리말을 영어로 바르게 옮긴 것을 고르세요.

16

> <u>숙녀 두 분</u> were coming here.

❶ Two lady   ❷ Two ladys   ❸ Two ladyes

❹ Two ladyies   ❺ Two ladies

17

> We need <u>비누 세 개</u>.

❶ three soap   ❷ three bar of soap   ❸ three bar of soaps

❹ three bars of soap   ❺ three bars of soaps

[18-20] 주어진 말을 사용하여 다음 문장의 빈칸에 알맞은 말을 쓰세요.

18

> I have two _____. (sister)

19

> Four _____ were jogging in the park. (man)

20

> Three _____ of cheese was on the dish. (slice)

[21 - 23] 다음 우리말 뜻과 같도록 빈칸에 알맞은 말을 쓰세요.

21 몰리는 아침 식사로 토마토 두 개를 먹었다.

➡ Molly had two _____ for breakfast.

22 그녀는 저녁 식사 후에 커피 한 잔을 마셨다.

➡ She drank a _____ _____ coffee after dinner.

23 샘은 우리에게 수프 네 그릇을 만들어 주었다.

➡ Sam made four _____ of soup for us.

[24 - 25] 다음 밑줄 친 부분을 바르게 고쳐 문장을 다시 쓰세요.

24 Two <u>puppy</u> are sleeping in the room.

➡ _____

25 My friend gave a <u>cans</u> of soda to me.

➡ _____

WRAP UP

정답 및 해설 5쪽

1 셀 수 있는 명사

• 복수형 만들기 (규칙)

대부분의 명사		-o, -s, -x, -ch, -sh로 끝나는 명사	
명사 뒤에 ¹[ ]		명사 뒤에 ²[ ]	
「자음+y」로 끝나는 명사		-f 또는 -fe로 끝나는 명사	
-y를 ³[ ]로 바꾸고 -es		-f나 -fe를 ⁴[ ]로 바꾸고 -es	

2 셀 수 없는 명사

❶ 셀 수 없는 명사는 ¹[   ]나 ²[   ]과 함께 쓰지 않고, 복수형으로 쓸 수 없다.

❷ 셀 수 없는 명사의 수량은 ³[   ]나 ⁴[   ] 등을 이용해서 나타낸다.

Check Up 그림을 보고, 알맞은 말을 찾아 다음 대화의 빈칸에 쓰세요.

a glass of water   deer   lions

형용사와 부사

강아지 한 마리가 우리 집에 왔다.
이름은 초코.
이 녀석을 훈련시켜야 하는데 쉽지가 않네.

이렇게 해 봐!

You are a
good dog.

공을 잘 물고 온 초코 칭찬하기.
명사 앞에 '착한'이라는 형용사를
붙여 '착한 개' 우리 초코.

You are **bad.**

화장실 앞에다 실례를 해 놓은 녀석.
이건 혼나야지. 네 상태를 알려 주마!
이때도 형용사를 써서 '너 나쁘다.'

You jumped **high.**

이젠 운동도 잘하는 초코.
동사를 꾸며 주는 말인 부사로
네가 한 일을 확실히 알려 줄게.
'너 높이 점프했구나.'

꾸며 주고 설명해 주는 형용사, 부사가
없었으면 어쩔 뻔했어.
이렇게 귀여운 너를 칭찬하지
못할 뻔했잖아.

형용사와 부사 **29**

01 형용사

형용사는 사람이나 사물의 성질이나 상태가 어떠한지 설명하는 말입니다.

A 형용사의 쓰임

형용사는 명사 앞에서 그 명사를 꾸며 주거나, be동사 뒤에서 '~하다'의 뜻으로
주어의 성질이나 상태를 설명해 줍니다.

Look at that **cute** baby. 저 귀여운 아기를 봐.
This is my **new** pencil case. 이것이 내 새 필통이다.
Peter Pan and Wendy <u>are</u> **tall**. 피터 팬과 웬디는 키가 크다.
The spaghetti <u>is</u> **delicious**. 그 스파게티는 맛있다.

B 수량 형용사

수량 형용사는 수와 양을 나타내는 형용사로, 셀 수 있는 명사와 셀 수 없는 명사에 쓰이는 형용사가 다릅니다.

의미	셀 수 있는 명사	셀 수 없는 명사
많은	many	much
	a lot of / lots of	
몇몇의 / 약간의	a few	a little
거의 없는	few	little

There weren't **many** <u>people</u> on the street. 거리에 사람들이 많이 없었다.
I bought **a few** <u>apples</u> at the market. 나는 시장에서 사과 몇 개를 샀다.
We don't have **much** <u>snow</u> in winter. 겨울에 눈이 많이 오지 않는다.
They have **a little** <u>money</u>. 그들은 돈이 조금 있다.

Grammar Walk

정답 및 해설 5~6쪽

A 다음 형용사의 우리말 뜻을 빈칸에 쓰세요.

1 tired   피곤한, 지친

2 a few _____

3 angry _____

4 boring _____

5 delicious _____

6 careful _____

7 full _____

8 different _____

9 few _____

10 expensive _____

11 cheap _____

12 easy _____

형용사는 '~한' 이라는 뜻을 지녀.

13 dark _____

14 free _____

15 foolish _____

16 lucky _____

17 little _____

18 pleased _____

19 rich _____

20 much _____

21 surprised _____

22 brave _____

23 deep _____

24 empty _____

25 a little _____

26 a lot of _____

27 famous _____

28 important _____

29 weak _____

30 healthy _____

WORDS · **boring** 지루한 · **pleased** 기쁜 · **surprised** 놀란, 놀라는 · **deep** 깊은 · **empty** 비어 있는

02 부사

부사는 문장에서 언제, 어디서, 얼마나, 어떻게 등의 의미를 나타냅니다.

A 부사의 쓰임

부사는 '~하게, ~이/히' 등의 뜻으로 동사, 형용사, 다른 부사를 꾸며 주는 역할을 합니다.

The sun <u>shines</u> **brightly**. 태양이 밝게 빛난다. 〈동사 수식〉

He has a **very** <u>interesting</u> book. 그는 매우 재미있는 책 한 권을 가지고 있다. 〈형용사 수식〉

Jason runs **quite** <u>fast</u>. 제이슨은 꽤 빨리 달린다. 〈부사 수식〉

B 빈도부사

빈도부사는 무엇을 얼마나 자주 하는지 나타내는 말로 보통 일반동사의 앞, be동사와 조동사의 뒤에 옵니다.

Hyunjin **often** <u>goes</u> fishing. 현진이는 자주 낚시하러 간다. 〈일반동사 앞〉

He <u>is</u> **always** nice to me. 그는 항상 내게 친절하다. 〈be동사 뒤〉

They <u>will</u> **sometimes** visit New York. 그들은 가끔 뉴욕을 방문할 것이다. 〈조동사 뒤〉

빈도부사의 종류

never 전혀/결코/절대로 ~ 않다	sometimes 가끔, 때때로	often 자주, 흔히
usually 보통, 대개	always 항상, 언제나	

C too와 either

둘 다 '~도'라는 뜻으로, too는 긍정문 뒤에 쓰이고, either는 부정문 뒤에 쓰입니다.

He is handsome. His dad <u>is</u> handsome **too**. 그는 잘생겼다. 그의 아빠도 잘생기셨다.

Colin doesn't like soccer. His brother <u>doesn't like</u> soccer **either**.
콜린은 축구를 좋아하지 않는다. 그의 형도 축구를 좋아하지 않는다.

Grammar Walk

정답 및 해설 6쪽

A 다음 부사의 우리말 뜻을 빈칸에 쓰세요.

1	never	전혀/결코/절대로 ~ 않다	**2**	tonight
3	always		**4**	quickly
5	honestly		**6**	suddenly
7	sometimes		**8**	here
9	often		**10**	there
11	too		**12**	either
13	now		**14**	soon
15	yesterday		**16**	very
17	quite		**18**	then
19	loudly		**20**	hard
21	really		**22**	well
23	happily		**24**	beautifully
25	still		**26**	again
27	inside		**28**	tomorrow
29	today		**30**	outside

 WORDS · **still** 아직, 아직도   · **again** 한 번 더, 다시   · **inside** 안에, 안으로   · **outside** 밖에, 밖으로

Grammar Run! ....

A 다음 중 알맞은 말을 찾아 문장을 완성하세요.

| careful | interesting | long | empty | colorful | much |
| little | a few | a little | few | many | delicious |

1 This broccoli soup is ___delicious___ .
이 브로콜리 수프는 맛있다.

2 Michael collected _____ cans.
마이클은 빈 깡통들을 모았다.

3 Laura wants those _____ pants.
로라는 저 화려한 바지를 원한다.

4 My grandma told me an _____ story.
우리 할머니는 내게 재미있는 이야기를 들려주셨다.

5 It has a _____ neck.
그것은 긴 목을 가지고 있다.

6 He is a _____ driver.
그는 주의 깊은 운전자이다.

7 There is _____ milk in the cup.
컵 안에 우유가 거의 없다.

8 _____ _____ students were dancing on the street.
몇몇 학생들이 거리에서 춤을 추고 있었다.

9 We didn't have _____ rain last summer.
작년 여름에는 비가 많이 오지 않았다.

10 She didn't buy _____ books in the bookstore.
그녀는 서점에서 책을 많이 사지 않았다.

11 There is _____ _____ water in the bucket.
양동이 안에 물이 조금 있다.

12 Gilbert had _____ friends.
길버트에게는 친구가 거의 없었다.

> 수량 형용사를 쓸 때는 뒤에 나오는 말이 셀 수 있는 명사인지 셀 수 없는 명사인지 잘 살펴봐야 해.

WORDS · **broccoli** 브로콜리 · **collect** 모으다, 수집하다 · **careful** 주의 깊은, 신중한 · **driver** 운전자 · **bucket** 양동이

B 괄호 안에서 알맞은 말을 골라 다음 문장 또는 대화의 빈칸에 쓰세요.

1 My uncle makes kites ___easily___ . (easy / easily)
우리 삼촌은 연을 수월하게 만드신다.

2 Dorothy came here _____ early. (quite / never)
도로시는 꽤 일찍 여기에 왔다.

3 My grandfather gets up _____ . (early / late)
우리 할아버지는 늦게 일어나신다.

> 빈도부사는 조동사 뒤에 온다고 했지? 그럼, 조동사에 어떤 게 있는지 알아야겠군. can, will, may, must 등이 조동사야.

4 They practiced taekwondo _____ hard. (real / really)
그들은 정말 열심히 태권도를 연습했다.

5 Do you _____ live in Seoul? (still / again)
너는 아직 서울에 사니?

6 My brother is _____ busy. (sometimes / quite)
우리 형은 가끔 바쁘다.

7 They _____ drink coffee in the morning. (never / usually)
그들은 보통 아침에 커피를 마신다.

> too와 either는 둘 다 '~도'라는 뜻이지만 too는 긍정문, either는 부정문에 쓰여.

8 Arnold is _____ late for school. (often / always)
아놀드는 자주 학교에 지각한다.

9 I will _____ see him again. (never / still)
나는 결코 그를 다시 보지 않을 것이다.

10 Jason is _____ nice to women. (never / always)
제이슨은 항상 여자들에게 친절하다.

11 **A:** I am sleepy. 나는 졸려.
B: I am sleepy _____ . 나도 졸려. (too / either)

12 **A:** I don't like carrots. 나는 당근을 좋아하지 않아.
B: I don't like carrots _____ . 나도 당근을 좋아하지 않아. (too / either)

WORDS · **easy** 쉬운   · **easily** 쉽게, 수월하게   · **practice** 연습하다   · **sleepy** 졸린   · **carrot** 당근

Grammar Jump!

A 다음 문장에서 밑줄 친 부분의 우리말 뜻을 빈칸에 쓰세요.

1 He is <u>my good friend</u>.
➡ 그는 _____내 좋은 친구_____ 이다.

2 Einstein was <u>a famous scientist</u>.
➡ 아인슈타인은 _____ 였다.

3 The woman <u>is honest</u>.
➡ 그 여자는 _____ .

4 They bought <u>a few pears</u> yesterday.
➡ 그들은 어제 _____ _____ 를 샀다.

5 The child saw <u>lots of lions</u> at the zoo.
➡ 그 어린이는 동물원에서 _____ 을 보았다.

6 My brother is reading <u>a very interesting magazine</u>.
➡ 우리 오빠는 _____ 를 읽고 있다.

7 Suji smiled <u>happily</u>.
➡ 수지는 _____ 미소지었다.

8 Jack was crossing the street <u>carefully</u>.
➡ 잭은 _____ 길을 건너고 있었다.

9 The deer ran away <u>quite quickly</u>.
➡ 그 사슴은 _____ 달아났다.

10 Sandy is <u>always</u> diligent.
➡ 샌디는 _____ 부지런하다.

11 I will <u>often</u> play the violin.
➡ 나는 _____ 바이올린을 켤 것이다.

12 Dad <u>usually</u> climbs a mountain on Sundays.
➡ 아빠는 _____ 일요일마다 등산을 하신다.

> **WORDS** · **famous** 유명한 · **scientist** 과학자 · **honest** 정직한 · **carefully** 조심스럽게, 주의하여 · **run away** 달아나다

B 주어진 말을 바르게 배열하여 문장을 완성하세요.

1 Diane has ____an____ ___expensive___ ___watch___. (expensive / an / watch)
다이앤은 비싼 손목시계 하나를 가지고 있다.

2 Look at _____ _____ _____. (clown / that / funny)
저 웃긴 어릿광대를 봐.

3 Those books _____ _____. (interesting / are)
저 책들은 재미있다.

4 There were _____ _____ in the restaurant. (people / few)
그 음식점에는 사람들이 거의 없었다.

5 We need _____ _____ _____ _____. (time / a lot of)
우리는 많은 시간이 필요하다.

6 There weren't _____ _____ in the town. (many / hospitals)
그 마을에는 병원이 많이 없었다.

7 A cheetah _____ _____. (quickly / moves)
치타는 빠르게 움직인다.

8 Math is _____ _____ for me. (difficult / too)
수학은 내게 너무 어렵다.

9 Angela talks _____ _____. (so / quietly)
앤절라는 무척 조용히 말한다.

10 The movie is _____ _____. (exciting / really)
그 영화는 정말 흥미진진하다.

11 Kate raises a _____ _____ cat. (cute / very)
케이트는 매우 귀여운 고양이 한 마리를 키운다.

12 Amy _____ _____ her promises. (keeps / always)
에이미는 항상 약속을 지킨다.

13 I _____ _____ _____ your name. (forget / will / never)
나는 결코 네 이름을 잊지 않을 것이다.

14 It _____ _____ cold in winter. (usually / is)
겨울에는 보통 춥다.

15 You _____ _____ _____ my computer. (can / use / sometimes)
너는 가끔 내 컴퓨터를 써도 된다.

WORDS · **clown** 어릿광대 · **people** 사람들 · **difficult** 어려운 · **keep one's promise** 약속을 지키다 · **forget** 잊다

Grammar Fly! ·····

A 다음 밑줄 친 부분을 바르게 고쳐 문장을 다시 쓰세요.

1 The lizard's tail <u>long is</u>. 그 도마뱀의 꼬리는 길다.
➡ _____ The lizard's tail is long. _____

2 Michael is <u>a swimmer good</u>. 마이클은 훌륭한 수영 선수이다.
➡ _____

3 Anna speaks <u>loudly very</u>. 애나는 매우 큰 소리로 말한다.
➡ _____

4 This shirt is <u>small too</u> for me. 이 셔츠는 내게 너무 작다.
➡ _____

5 Mr. Goodson <u>goes to bed always</u> at 11 o'clock. 굿손 씨는 항상 11시 정각에 잠자리에 든다.
➡ _____

6 I <u>walked often</u> my dog in the park. 나는 자주 공원에서 우리 개를 산책시켰다.
➡ _____

7 My cat <u>eats never</u> fish. 우리 고양이는 절대 생선을 먹지 않는다.
➡ _____

8 The students <u>usually are</u> quiet in class. 그 학생들은 보통 수업 중에 조용하다.
➡ _____

9 I <u>should visit sometimes</u> my aunt in Busan. 나는 가끔 부산에 계신 우리 이모를 찾아뵙는 것이 좋겠다.
➡ _____

10 I like black <u>either</u>. 나도 검은색을 좋아한다.
➡ _____

11 He didn't have a piece of cake <u>too</u>. 그도 케이크를 먹지 않았다.
➡ _____

12 Rachel and Mike aren't doctors <u>too</u>. 레이첼과 마이크도 의사가 아니다.
➡ _____

WORDS · **lizard** 도마뱀 · **tail** 꼬리 · **loudly** 큰 소리로 · **too** 너무 (~한), ~도 · **walk** (동물을) 걷게 하다, 산책시키다

B 주어진 말을 바르게 배열하여 문장을 쓰세요.

1 (student / a / Marilyn is / careful / .) 마릴린은 신중한 학생이다.
➡ Marilyn is a careful student.

2 (car / new / my / is fast / .) 내 새 자동차는 빠르다.
➡ _____

3 (the / she wanted / dress / green / .) 그녀는 그 초록색 드레스를 원했다.
➡ _____

4 (kind / are / our neighbors / .) 우리 이웃들은 친절하다.
➡ _____

5 (was / his brother / sometimes / lazy / .) 그의 형은 때때로 게을렀다.
➡ _____

6 (Liza / wear / her glasses / must / always / .) 리자는 언제나 안경을 써야 한다.
➡ _____

7 (my uncle / comes / never / on time / .) 우리 삼촌은 결코 정각에 오시지 않는다.
➡ _____

8 (often / Mom / reads / before bed / a book / .) 엄마는 자주 잠들기 전에 책을 읽으신다.
➡ _____

9 (doesn't have / either / she / a mobile phone / .) 그녀도 휴대 전화를 가지고 있지 않다.
➡ _____

10 (onions / a few / there are / in the box / .) 상자 안에 양파가 몇 개 있다.
➡ _____

11 (little / we have / time / .) 우리는 시간이 거의 없다.
➡ _____

12 (can use / Tim / chopsticks / too / .) 팀도 젓가락을 사용할 수 있다.
➡ _____

 · **neighbor** 이웃 · **wear** 입고[쓰고/끼고] 있다 · **on time** 정각에 · **onion** 양파 · **chopsticks** 젓가락

Grammar & Writing

A 그림 묘사하기 그림을 보고, 주어진 말을 사용하여 다음 문장을 완성하세요.

1
(apple, a lot of)
There are _____a lot of apples_____ in the basket.

2
(water, lots of)
There is _____ in the bucket.

3
(fish, a few)
There are _____ in the fish tank.

4
(sugar, little)
There is _____ in the bag.

5
(people, a few)
There are _____ on the beach.

6
(milk, a little)
There is _____ in the bottle.

 · **basket** 바구니   · **bucket** 양동이   · **fish tank** (크기가 큰) 어항   · **beach** 해변, 바닷가

B [도표 해석하기] 다음은 친구들이 여가 시간에 무엇을 얼마나 자주 하는지 조사한 표입니다. 알맞은 빈도부사를 사용하여 문장을 완성하세요.

	이름	하는 일	Mon.	Tues.	Wed.	Thur.	Fri.	Sat.	Sun.
1	Jane	read books	■	■	■	■	■	■	■
2	Bob	watch TV	■	■	■	■	■	■	■
3	Sally	go to the library	■	■	■	■	■	■	■
4	Paul	play soccer	■	■	■	■	■	■	■
5	Amy	do yoga	■	■	■	■	■	■	■

■ 7번=always 5번=usually 4번=often 2번=sometimes 0번=never

1 ___Jane always reads books___ in her free time.

2 _____ in his free time.

3 _____ in her free time.

4 _____ in his free time.

5 _____ in her free time.

WORDS · **yoga** 요가   · **free time** 여가 시간

형용사와 부사 **41**

UNIT TEST 02

1 다음 중 형용사와 부사가 바르게 짝지어진 것을 고르세요.

❶ happy – happyly
❷ quiet – quietily
❸ beautiful – beautifuly
❹ slow – slowly
❺ good – goodly

2 다음 중 빈도부사와 우리말 뜻이 <u>잘못</u> 짝지어진 것을 고르세요.

❶ often – 자주
❷ usually – 보통
❸ never – 절대 ~ 않다
❹ always – 대개
❺ sometimes – 가끔

[3-5] 다음 우리말 뜻과 같도록 빈칸에 알맞은 말을 고르세요.

3

> 그 방은 비어 있니? ➡ Is the room _____?

❶ pleased
❷ empty
❸ boring
❹ healthy
❺ handsome

4

> 나는 오늘 피곤하다. ➡ I'm _____ today.

❶ exciting
❷ famous
❸ tired
❹ different
❺ angry

5

> 그 새 컴퓨터는 매우 비싸다. ➡ The new computer is very _____.

❶ expensive
❷ cheap
❸ difficult
❹ dark
❺ free

[6-7] 다음 문장의 빈칸에 들어갈 말이 순서대로 바르게 짝지어진 것을 고르세요.

6

> • It was _____ yesterday. 어제는 날씨가 화창했다.
> • That horse runs _____ fast. 저 말은 꽤 빨리 달린다.

❶ sunny – now
❷ sun – now
❸ sun – soon
❹ sunny – quite
❺ sunny – too

7

> • Jenny _____ runs in the morning. 제니는 가끔 아침에 달린다.
> • You are _____. 너는 늦었다.

❶ often – late
❷ often – slowly
❸ often – slow
❹ sometimes – slow
❺ sometimes – late

[8-10] 다음 문장의 빈칸에 들어갈 수 <u>없는</u> 말을 고르세요.

8

> The _____ dog is Erica's.

❶ black
❷ big
❸ small
❹ so
❺ cute

9

> The students were very _____.

❶ smart
❷ tall
❸ cute
❹ strong
❺ honestly

10

> My cousin speaks English _____.

❶ slowly
❷ fast
❸ good
❹ quietly
❺ loudly

UNIT TEST 02

[11-13] 다음 괄호 안에서 알맞은 말을 골라 동그라미 하세요.

11 He finished his homework (either / too).

12 Evan had (few / little) money.

13 We have (many / lots of) snow in winter.

[14-15] 다음 중 밑줄 친 부분이 바르게 쓰인 문장을 고르세요.

14 ❶ My pen red is expensive.

　❷ Look at white the dog.

　❸ You pretty are.

　❹ She has a big bag.

　❺ Their baby cute is.

15 ❶ The girl smiles always happily.

　❷ Matthew drove his car usually carefully.

　❸ I will always love you.

　❹ The computer game sometimes was exciting.

　❺ Fiona writes often a letter to her aunt.

[16-17] 다음 중 밑줄 친 부분이 잘못된 문장을 고르세요.

16 ❶ I like fish. My sister likes fish <u>too</u>.

❷ His cap is blue. Her cap is blue <u>too</u>.

❸ You aren't thin. Your brother isn't thin <u>either</u>.

❹ Mary isn't a teacher. Jane isn't a teacher <u>too</u>.

❺ He can't play the violin. I can't play the violin <u>either</u>.

17 ❶ They don't have <u>many</u> apples.

❷ There is <u>a lot of</u> water in the bottle.

❸ We don't have <u>much</u> butter.

❹ Brian has <u>few</u> books in his room.

❺ There was <u>a few</u> bread on the table.

[18-20] 다음 우리말 뜻과 같도록 빈칸에 알맞은 말을 쓰세요.

18 나는 저 키가 큰 기린이 좋다.

➡ I like that _____ giraffe.

19 나는 항상 아침 식사 후에 차 한 잔을 마신다.

➡ I _____ drink a cup of tea after breakfast.

20 그들은 행복하게 살았다.

➡ They lived _____ .

[21–22] 다음 밑줄 친 부분을 바르게 고쳐 문장을 다시 쓰세요.

21

He didn't do yoga <u>too</u>.

➡ _____

22

The actor <u>brave is</u>.

➡ _____

[23–25] 다음 우리말 뜻과 같도록 주어진 말을 바르게 배열하여 문장을 완성하세요.

23 그녀가 내게 작은 원숭이 한 마리를 주었다. (small / a / monkey)

➡ She gave me _____ _____ _____.

24 우리는 가끔 점심 식사로 빵을 먹는다. (eat / sometimes)

➡ We _____ _____ bread for lunch.

25 새 몇 마리가 하늘을 날고 있다. (birds / a few)

➡ _____ _____ _____ are flying in the sky.

WRAP UP

정답 및 해설 8쪽

1 **형용사란?:** 사람이나 사물의 성질이나 상태가 어떠한지 설명하는 말이다.

❶ 형용사는 명사 ¹[　　　　　]에서 명사를 꾸며 주거나, be동사 ²[　　　　　]에서 '~하다'의 뜻으로 주어의 성질이나 상태를 설명해 준다.

❷ 수량 형용사: 수와 양을 나타내는 형용사로 many, much, a lot of, lots of, a few, a little, few, little 등이 있다.

2 **부사란?:** '~하게, ~이/히' 등의 뜻으로 ¹[　　　　　], 형용사, 다른 ²[　　　　　]를 꾸며 준다.

❶ 빈도부사: 무엇을 얼마나 자주 하는지 나타내는 말로 보통 일반동사의 ³[　　　　　], be동사와 조동사의 ⁴[　　　　　]에 쓴다.

❷ too와 either: 둘 다 '~도'라는 뜻으로, too는 ⁵[　　　　　]에 쓰이고, either는 ⁶[　　　　　]에 쓰인다.

Check Up   그림을 보고, 알맞은 말을 찾아 다음 대화의 빈칸에 쓰세요.

| very | brown | strong | always |

REVIEW TEST 01

1 다음 중 셀 수 있는 명사끼리 짝지어진 것을 고르세요.

    ❶ child – bus   ❷ gas – rain   ❸ deer – Lucy

    ❹ time – ship   ❺ boy – Monday

2 다음 중 셀 수 <u>없는</u> 명사끼리 짝지어진 것을 고르세요.

    ❶ house – watch   ❷ butter – milk   ❸ juice – knife

    ❹ man – foot   ❺ Christmas – tree

[3-4] 다음 단어의 단수형과 복수형이 바르게 짝지어진 것을 고르세요.

3   ❶ woman – womans   ❷ tomato – tomatos   ❸ bench – benchies

    ❹ shelf – shelfs   ❺ lady – ladies

4   ❶ puppy – puppyes   ❷ orange – orangees   ❸ tooth – teeth

    ❹ leaf – leafs   ❺ sheep – sheeps

[5-6] 다음 중 나머지 넷과 종류가 <u>다른</u> 하나를 고르세요.

5   ❶ really   ❷ beautiful   ❸ dark

    ❹ cheap   ❺ easy

6   ❶ tonight   ❷ quickly   ❸ here

    ❹ suddenly   ❺ rich

[7-8] 다음 우리말 뜻과 같도록 괄호 안에서 알맞은 말을 고르세요.

7

> 나는 매일 물을 여덟 컵 마신다.

➡ I drink eight (glasses / bars) of water every day.

8

> 빵 두 덩어리를 사자.

➡ Let's buy two (can / loaves) of bread.

9 다음 중 밑줄 친 부분이 올바른 문장을 고르세요.

❶ There is <u>little</u> coffee in the cup.

❷ They don't have <u>many</u> money.

❸ <u>Much</u> people don't like the movie.

❹ We have <u>few</u> snow in winter.

❺ <u>A little</u> cats were playing with a ball.

[10-11] 다음 문장에서 밑줄 친 부분을 바르게 고쳐 쓴 것을 고르세요.

10

> The boys flew the kite <u>either</u>.

❶ well ❷ quite ❸ very

❹ too ❺ so

11

> Sally wasn't playing computer games <u>too</u>.

❶ very ❷ still ❸ either

❹ now ❺ soon

12 다음 중 밑줄 친 부분이 잘못된 문장을 고르세요.

❶ He <u>often has</u> breakfast.

❷ Sam <u>is never</u> late for school.

❸ You <u>may use sometimes</u> my computer.

❹ Mom <u>usually goes</u> to bed early.

❺ They <u>are always</u> quiet in the classroom.

[13-14] 다음 밑줄 친 우리말을 영어로 바르게 옮긴 것을 고르세요.

13

> He took <u>많은 사진들</u> in the park.

❶ a few pictures ❷ few pictures ❸ little pictures

❹ a little pictures ❺ lots of pictures

14

> There was <u>소금이 조금 있는</u> in the bottle.

❶ a few salt ❷ few salt ❸ a little salt

❹ little salt ❺ a lot of salt

15 다음 우리말을 영어로 바르게 옮긴 것을 고르세요.

> 제인은 보통 7시에 학교에 간다.

❶ Jane often goes to school at 7. ❷ Jane usually goes to school at 7.

❸ Jane always goes to school at 7. ❹ Jane goes usually to school at 7.

❺ Jane goes always to school at 7.

[16-17] 다음 우리말 뜻과 같도록 주어진 말을 사용하여 문장을 완성하세요.

16 엄마는 내게 모자 두 개를 사 주셨다. (two, cap)

➡ Mom bought _____ _____ for me.

17 많은 꽃들이 정원에 있다. (lots of, flower)

➡ There are _____ _____ _____ in the garden.

18 다음 문장의 밑줄 친 부분을 바르게 고쳐 문장을 다시 쓰세요.

> I ate two <u>bowl</u> of soup.

➡ _____

[19-20] 다음 우리말 뜻과 같도록 주어진 말을 사용하여 문장을 쓰세요.

19 그녀의 엄마도 힘이 세시다. (her mom, strong, too)

➡ _____

20 나는 항상 너를 사랑할 것이다. (will, love, always)

➡ _____

비교 (1)

내게는 소중한 친구가 한 명 있다.
그 친구의 이름은 연아.

> She is **quieter than** me.

연아와 나를 비교하면
그녀는 나보다 조용하고,

나보다 바이올린도 잘 켠다.

> She plays the violin **better than** me.

이렇게 '···보다 ~한/하게'라고 비교할 때는
형용사와 부사의 비교급과 than을 써서 나타낸다.

She is **the fastest** in my class.

연아가 최고인 것도 있다.
연아는 우리 반에서 가장 빠르고,

She is **the most diligent** in my class.

지난달에는 가장 성실한
학생으로 상장도 받았다.

이럴 땐 '가장 ~한/하게'라는 의미를 나타내는
최상급이 제격이다.

우리가 항상 가장 친한
친구였으면 좋겠다.

비교 (1) **53**

01 원급, 비교급, 최상급

둘 또는 셋 이상의 사람이나 사물의 특징을 비교하는 표현에는 원급, 비교급, 최상급이 있습니다.

A 비교급과 최상급의 의미

비교급은 둘 중에서 '더 ~한/하게'라는 뜻이고, 최상급은 셋 이상에서 '가장 ~한/하게'라는 뜻입니다.

Sophia is fast. Kyle is **faster**. 소피아는 빠르다. 카일은 더 빠르다. 〈비교급〉

I like spring **the best**. 나는 봄을 가장 좋아한다. 〈최상급〉

B 형용사/부사의 원급, 비교급, 최상급의 형태

원급은 형용사나 부사의 원래 형태이고, 비교급은 대개 원급 뒤에 -(e)r을 붙입니다.
최상급은 원급 뒤에 -(e)st를 붙이고, 앞에 the를 씁니다.

대부분	원급+-er/-est	fast − faster − **the** fast**est**
-e로 끝나는 경우	원급+-r/-st	large − larger − **the** largest
「단모음+단자음」으로 끝나는 경우	마지막 자음을 한 번 더 쓰고 -er/-est	hot − hotter − **the** hottest big − bigger − **the** biggest
「자음+y」으로 끝나는 경우	-y → -ier/-iest	happy − happier − **the** happiest
2, 3음절 이상	more+원급/most+원급	famous − **more** famous − **the most** famous

◎ 비교급과 최상급이 불규칙하게 변하는 경우

good/well 좋은/잘 – **better** 더 좋은/더 잘 – **the best** 가장 좋은/가장 잘

many/much 많은 – **more** 더 많은 – **the most** 가장 많은

bad 나쁜 – **worse** 더 나쁜 – **the worst** 가장 나쁜

little 적은 – **less** 더 적은 – **the least** 가장 적은

far 먼/멀리 – **farther/further** 더 먼/더 멀리 – **the farthest/the furthest** 가장 먼/가장 멀리

Grammar Walk

A 다음 형용사나 부사의 비교급과 최상급을 차례대로 빈칸에 쓰세요.

1 tall – _____ taller _____ – _____ the tallest _____

2 fast – _____ – _____

3 brave – _____ – _____

대부분의 형용사나 부사는 -(e)r과 -(e)st를 붙여서 비교급과 최상급을 만들어.

4 interesting – _____ – _____

5 dirty – _____ – _____

6 big – _____ – _____

7 long – _____ – _____

8 thin – _____ – _____

9 wise – _____ – _____

2음절 이상의 형용사나 부사는 대부분 앞에 more와 the most를 붙여 비교급과 최상급을 만들어.

10 easy – _____ – _____

11 popular – _____ – _____

12 well – _____ – _____

13 bad – _____ – _____

14 many – _____ – _____

15 far – _____ – _____

 · **brave** 용감한   · **dirty** 더러운, 지저분한   · **wise** 지혜로운, 현명한   · **popular** 인기 있는   · **far** 먼, 멀리

02 비교급, 최상급 문장

A 형용사/부사의 비교급을 이용한 비교

「비교급+than」은 '~보다 더 …한/하게'의 뜻으로 than 뒤에 비교하는 대상을 씁니다.

You are **prettier than** Kelly. 네가 켈리보다 예쁘다.

An elephant is **bigger than** a tiger. 코끼리는 호랑이보다 크다.

China is **larger than** Korea. 중국은 한국보다 크다.

Sally is **more popular than** you. 샐리는 너보다 인기가 있다.

Tim sings **more beautifully than** Sarah. 팀은 사라보다 아름답게 노래한다.

◉ than 뒤에 대명사가 올 경우, 목적격으로 쓸 수 있습니다.
  He ran **faster than** <u>me</u>. 그는 나보다 빨리 달렸다.

B 형용사/부사의 최상급을 이용한 비교

「(the)+최상급+in/of」는 '~ 중에서 가장 …한/하게'의 뜻으로 in이나 of 뒤에 비교 대상을 씁니다. 비교 대상이 장소나 집단과 같은 단수명사일 때는 in을, 복수명사나 숫자, 기간일 때는 of를 씁니다.

Jordan is **the oldest** player **in** his club. 조던은 자기 동아리에서 가장 나이가 많은 선수이다.

The Nile is **the longest** river **in** the world. 나일 강은 세계에서 가장 긴 강이다.

Dan is **the youngest of** the three. 댄이 셋 중에서 가장 어리다.

Emily is **the most beautiful** girl **of** them all. 에밀리는 그들 중에서 가장 아름다운 여자아이이다.

Grammar Walk

정답 및 해설 10쪽

A 다음 괄호 안에서 알맞은 말을 골라 동그라미 하세요.

1 He is ((stronger) / strong) than my father.

뒤에 「than+비교 대상」이 나오면 비교급을 써야 해.

2 The book is (thin / thinner) than the dictionary.

3 The puppy ran (the fastest / faster) than the cat.

4 Jenny is (beautiful / more beautiful) than her mother.

5 Kelly's jeans are (dirtier / dirty) than Tony's.

6 This bat is (better / good) than that one.

7 It is (bigger / the biggest) bee in the world.

8 What was (the most interesting / more interesting) news in the village?

9 Winter is (colder / the coldest) season of the year.

비교의 대상이 셋 이상으로 뒤에 in이나 of가 이끄는 전치사구가 올 때는 최상급을 써.

10 Yesterday was (the happiest / happy) day in my life.

11 Paul is (nicer / the nicest) of all my friends.

12 What is (the slowest / slow) animal in the world?

13 She is (more careful / the most careful) nurse of the four.

14 The apple is (the heaviest / heavier) of them all.

15 Allan studied (the hardest / harder) of all the boys.

 WORDS   · **bee** 벌   · **world** 세계, 세상   · **village** 마을   · **season** 계절   · **heavy** 무거운

Grammar Run!

A 다음 문장의 우리말 뜻을 완성하세요.

1 Russia is larger than China. ➡ 러시아는 _____중국보다 크다_____.

2 Britney is more famous than him. ➡ 브리트니는 _____.

3 Strawberries are sweeter than oranges. ➡ 딸기가 _____.

4 My sister walks faster than me. ➡ 내 여동생은 _____.

5 Jakarta is hotter than Seoul. ➡ 자카르타는 _____.

6 Busan is farther than Daegu. ➡ 부산은 _____.

7 Sam is healthier than you. ➡ 샘은 _____.

8 Pandas are fatter than koalas. ➡ 판다는 _____.

9 The bird gets up the earliest in the forest.
➡ 그 새가 숲에서 _____ 일어난다.

10 The brown sofa looks the most comfortable of the three.
➡ 그 갈색 소파가 셋 중에서 _____ 보인다.

far는 '먼' 또는 '멀리'라는 뜻으로, 비교급과 최상급이 farther[further] - the farthest[furthest]로 불규칙하게 변해.

11 My dad's feet are the biggest in my family.
➡ 우리 아빠 발이 우리 가족 중에서 _____.

12 Ken studied the hardest of them all.
➡ 켄이 그들 중에서 _____ 공부했다.

13 Pang got the worst score of us all.
➡ 팡이 우리 중에서 _____ 점수를 받았다.

14 The cake was the most delicious of the three.
➡ 그 케이크가 셋 중에서 _____.

WORDS · **Russia** 러시아 · **healthy** 건강한 · **forest** 숲 · **comfortable** 편안한 · **score** 점수

B 다음 중 알맞은 말을 찾아 문장을 완성하세요.

---

heavier   the most delicious   the hottest   slower   the easiest
the tallest   better   the most handsome   longer   harder
the cutest   more difficult   stronger   the most diligent

---

1 Jacob is ___heavier___ than you. 제이콥은 너보다 몸무게가 많이 나간다.

2 Sam feels _____ today than yesterday. 샘은 어제보다 오늘 기분이 좋다.

3 The Nakdonggang is _____ than the Hangang. 낙동강은 한강보다 길다.

4 Math is _____ _____ than English for me. 내게는 수학이 영어보다 어렵다.

5 A snail is _____ than a turtle. 달팽이가 거북이보다 느리다.

비교의 대상이 둘인지 아니면 셋 이상인지 잘 살펴봐야겠다.

6 Kevin studies _____ than Paul. 케빈은 폴보다 열심히 공부한다.

7 A tiger is _____ than a lion. 호랑이가 사자보다 힘이 세다.

8 The *japchae* was _____ _____ _____ in the restaurant.
잡채가 그 음식점에서 가장 맛있었다.

9 December is _____ _____ month in Australia. 호주에서는 12월이 가장 더운 달이다.

10 I am _____ _____ of all my friends. 나는 내 친구들 중에서 가장 키가 크다.

11 This exam was _____ _____ of all the exams.
이 시험이 모든 시험들 중에서 가장 쉬웠다.

빈칸 뒤에 than이 있는지 in이나 of가 이끄는 전치사구가 있는지 확인해도 되고.

12 Minho is _____ _____ _____ boy in his school.
민호는 자기 학교에서 가장 잘생긴 남자아이이다.

13 Kate is _____ _____ girl in her class. 케이트는 자기 반에서 가장 귀여운 여자아이이다.

14 Melanie is _____ _____ _____ woman in the town.
멜러니는 그 마을에서 가장 부지런한 여자이다.

WORDS · **feel** (기분이나 감정을) 느끼다   · **snail** 달팽이   · **restaurant** 음식점   · **December** 12월   · **exam** 시험

Grammar Jump!

A 주어진 말을 사용하여 비교급이나 최상급의 문장을 완성하세요.

1 My pencil is ___longer___ than yours. (long)
내 연필이 네 것보다 길다.

2 Apples were _____ than tomatoes. (cheap)
사과가 토마토보다 값이 쌌다.

3 Brenda is _____ than Laura. (famous)
브렌다가 로라보다 유명하다.

4 These pants are _____ than those ones. (good)
이 바지가 저것보다 좋다.

5 You can swim _____ than Ken. (fast)
너는 켄보다 빨리 수영할 수 있다.

6 That movie is _____ than this one. (popular)
저 영화가 이것보다 인기가 있다.

7 Mary sings _____ than Mike. (beautifully)
메리는 마이크보다 아름답게 노래한다.

8 I went to bed _____ than my mom yesterday. (early)
나는 어제 우리 엄마보다 일찍 잠자리에 들었다.

9 Tom is _____ student of the five. (honest)
톰이 다섯 중에서 가장 정직한 학생이다.

10 Daisy is _____ person in the shop. (busy)
데이지는 그 가게에서 가장 바쁜 사람이다.

11 Patrick got _____ score in his class. (bad)
패트릭은 자기 반에서 가장 나쁜 점수를 받았다.

12 Your bag is _____ of them all. (heavy)
네 가방은 그것들 중에서 가장 무겁다.

13 What is _____ mountain in the world? (high)
무엇이 세계에서 가장 높은 산이니?

14 New York is _____ city in the U.S. (large)
뉴욕은 미국에서 가장 큰 도시이다.

15 Fred was _____ of them all. (careful)
프레드가 그들 중에서 가장 신중했다.

> 둘 중에서 '더 ~한/ 하게'는 비교급을, 셋 이상에서 '가장 ~한/ 하게'는 최상급을 쓰면 되겠구나!

WORDS · **cheap** (값이) 싼 · **go to bed** 잠자리에 들다 · **honest** 정직한 · **score** 점수 · **careful** 조심하는, 주의 깊은

B 다음 문장의 밑줄 친 부분을 바르게 고쳐 빈칸에 쓰세요.

1 The train runs <u>fastest</u> than the bus. ➡ _faster_
기차가 버스보다 빨리 달린다.

2 I am <u>strong</u> than my brother. ➡ _____
나는 우리 형보다 힘이 세다.

3 A lion is <u>biggest</u> than a cheetah. ➡ _____
사자가 치타보다 크다.

4 The Nile is <u>longest</u> than the Mississippi. ➡ _____
나일 강이 미시피 강보다 길다.

5 The park is <u>far</u> than the bank from here. ➡ _____
여기에서 공원이 은행보다 멀다.

6 He got up <u>late</u> than his sister. ➡ _____
그는 자기 여동생보다 늦게 일어났다.

7 Jenny made a kite <u>easily</u> than me. ➡ _____
제니는 나보다 쉽게 연을 만들었다.

8 Tokyo is the <u>large</u> city in Japan. ➡ _____
도쿄는 일본에서 가장 큰 도시이다.

9 February was the <u>colder</u> month of the year. ➡ _____
2월이 일 년 중 가장 추운 달이었다.

10 My mother is <u>older</u> in my family. ➡ _____
우리 어머니는 우리 가족 중에서 나이가 가장 많으시다.

11 This is <u>better</u> restaurant in the village. ➡ _____
이곳이 마을에서 가장 좋은 음식점이다.

12 Mt. Everest is <u>higher</u> mountain in the world. ➡ _____
에베레스트 산이 세계에서 제일 높은 산이다.

13 This picture is <u>beautiful</u> of the three. ➡ _____
이 그림이 셋 중에서 가장 아름답다.

14 Roy wrote <u>manyest</u> letters of the five. ➡ _____
로이가 다섯 중에서 가장 많은 편지를 썼다.

15 Kennedy is <u>lazier</u> of the three. ➡ _____
케네디가 셋 중에서 가장 게으르다.

WORDS · **the Nile** 나일 강 · **the Mississippi** 미시피 강 · **month** 달, 월 · **letter** 편지 · **lazy** 게으른

Grammar Fly! . . . .

A 주어진 말을 사용하여 다음 문장을 비교급 또는 최상급 문장으로 바꿔 쓰세요.

1 Zack jumped rope well. (than Nicole)
➡ _Zack jumped rope better than Nicole._

2 This apple is small. (than that orange)
➡ _____

3 A tiger is dangerous. (than a dog)
➡ _____

4 She answered quickly. (than me)
➡ _____

5 The cucumbers were fresh. (than the potatoes)
➡ _____

6 My puppy was dirty. (than your cat)
➡ _____

7 A goldfish is a quiet pet. (of all)
➡ _A goldfish is the quietest pet of all._

8 Amy is a wise girl. (in my class)
➡ _____

9 The dictionary is new. (of the three)
➡ _____

10 Ken sat on a comfortable sofa. (in the store)
➡ _____

11 She is a great pianist. (in Korea)
➡ _____

12 This is a funny story. (of them all)
➡ _____

 WORDS · **quickly** 빨리   · **cucumber** 오이   · **fresh** 신선한   · **goldfish** 금붕어   · **great** 위대한, 훌륭한

B 주어진 말을 바르게 배열하여 문장을 쓰세요.

1 (are older than / these slippers / the boots / .) 이 슬리퍼가 그 장화보다 낡았다.
➡ __These slippers are older than the boots.__

2 (are more expensive than / melons / pears / .) 멜론이 배보다 비싸다.
➡ _____

3 (better than / I like / milk / juice / .) 나는 우유보다 주스를 좋아한다.
➡ _____

4 (speaks English / better than / Bora / Minji / .) 보라가 민지보다 영어를 잘 말한다.
➡ _____

5 (is more dangerous than / a whale / a shark / .) 상어가 고래보다 위험하다.
➡ _____

6 (the youngest / Monica was / in her family / .) 모니카가 자기 가족 중에서 가장 어렸다.
➡ _____

7 (the best dancer / Jun is / in the village / .) 준이가 그 마을에서 가장 훌륭한 무용수이다.
➡ _____

8 (the smallest / the cat is / of the four animals / .) 그 고양이가 네 마리 동물 중에서 가장 작다.
➡ _____

9 (the worst / she cooked / of the three / .) 그녀가 셋 중에서 요리를 가장 못했다.
➡ _____

10 (in the town / the tallest / Jessica is / .) 제시카가 마을에서 가장 키가 크다.
➡ _____

11 (of all / this movie is / the most interesting / .) 이 영화가 모든 것 중에서 가장 재미있다.
➡ _____

12 (the nicest / of them all / the T-shirt is / .) 그 티셔츠가 그것들 중에서 가장 좋다.
➡ _____

WORDS · slipper 슬리퍼 (한 짝) · melon 멜론 · whale 고래 · shark 상어 · T-shirt 티셔츠

Grammar & Writing

A [그림 묘사하기] 그림을 보고, 주어진 말을 사용하여 문장을 완성하세요.

1

(fast)

The horse is running _____faster than_____ the rabbit.

The cheetah is running _____the fastest_____ of the three.

2

(expensive)

The jacket is _____ the skirt.

The blouse is _____ of the three.

3

(fat)

Tim's dog is _____ Jake's.

Ben's dog is _____ of the three.

4

(early)

Sally's brother got up _____ Sally.

Their mom got up _____ of the three.

5

(high)

Hallasan is _____ Sobaeksan.

Baekdusan is _____ of the three.

WORDS · horse 말 · rabbit 토끼 · jacket 재킷 · skirt 치마 · blouse 블라우스

B 표 해석하기 캐시와 친구들의 나이와 키, 몸무게를 조사한 표입니다. 표의 내용에 맞게 주어진 말을 사용하여 문장을 쓰세요.

Name	Age	Height	Weight
Cathy	12 years old	156 cm	50 kg
Philip	14 years old	172 cm	70 kg
Owen	13 years old	181 cm	65 kg

1 (heavy, Philip, Owen)

 Philip is heavier than Owen.

2 (short, Cathy, Owen)

_____

3 (old, Philip, Cathy)

_____

4 (light, Cathy)

 Cathy is the lightest of the three.

5 (tall, Owen)

_____ of the three.

6 (young, Cathy)

_____ of the three.

WORDS · **age** 나이　· **height** 키　· **weight** 몸무게　· **light** 가벼운　· **young** 어린

UNIT TEST 03

[1-3] 다음 중 원급, 비교급, 최상급이 **잘못** 짝지어진 것을 고르세요.

1 ❶ early – earlier – the earliest   ❷ hot – hoter – the hotest

❸ wide – wider – the widest   ❹ young – younger – the youngest

❺ beautiful – more beautiful – the most beautiful

2 ❶ good – better – the best   ❷ bad – badder – the baddest

❸ little – less – the least   ❹ far – farther – the farthest

❺ many – more – the most

3 ❶ old – older – the oldest   ❷ happy – happier – the happiest

❸ big – bigger – the biggest   ❹ famous – famouser – the famousest

❺ dangerous – more dangerous – the most dangerous

[4-5] 다음 우리말 뜻과 같도록 괄호 안에서 알맞은 말을 고르세요.

4
> 만화책이 사전보다 재미있다.

➡ Comic books are (interesting / more interesting) than dictionaries.

5
> 에이미는 자기 반에서 가장 예쁘다.

➡ Amy is (the pretty / the prettiest) in her class.

[6-8] 다음 문장의 빈칸에 알맞은 말을 고르세요.

6
> The black pig is _____ than the pink one.

❶ fat   ❷ fatter   ❸ the fattest

❹ fater   ❺ the fatest

7

> Yuna is _____ girl of the eleven.

❶ popular   ❷ popularer   ❸ the popularest

❹ more popular   ❺ the most popular

8

> Leo can run faster _____ Kyle.

❶ then   ❷ of   ❸ in

❹ than   ❺ to

[9-10] 다음 밑줄 친 우리말을 영어로 바르게 옮긴 것을 고르세요.

9

> This bag was 가장 비싼 in the shop.

❶ expensive   ❷ expensiver   ❸ expensivest

❹ more expensive   ❺ the most expensive

10

> The yellow bird flew 더 높이 than the eagle.

❶ high   ❷ higher   ❸ the highest

❹ more high   ❺ the most high

[11-12] 주어진 문장을 다음과 같이 바꿔 쓸 때 빈칸에 알맞은 말을 고르세요.

11

> My bag is older than Peter's.
> ➡ Peter's bag is _____ than mine.

❶ new   ❷ newer   ❸ the most new

❹ the newest   ❺ more new

12

> Chris is 12 years old. Jenny is 13 years old. Lucy is 14 years old.
>
> ➡ Chris is _____ of the three.

❶ old   ❷ older   ❸ the oldest

❹ younger   ❺ the youngest

13 다음 문장의 빈칸에 들어갈 말이 순서대로 바르게 짝지어진 것을 고르세요.

> • She is _____ than him.
>
> • Kate is _____ girl in her class.

❶ heavy – short   ❷ heavier – shorter

❸ the heaviest – the shortest   ❹ heavier – the shortest

❺ the heaviest – shorter

[14 - 15] 다음 문장의 빈칸에 들어갈 수 <u>없는</u> 말을 고르세요.

14

> Mr. Benson was _____ cook in the village.

❶ the kinder   ❷ the best   ❸ the nicest

❹ the oldest   ❺ the most handsome

15

> The child is _____ than the baby.

❶ taller   ❷ stronger   ❸ cuter

❹ the strongest   ❺ faster

[16 - 17] 다음 중 밑줄 친 부분이 <u>잘못된</u> 문장을 고르세요.

16 ❶ English is <u>harder</u> than math.

❷ A giraffe is <u>the tallest</u> of the animals.

❸ Busan is <u>farer</u> than Pohang from Seoul.

❹ The Nakdonggang is <u>longer</u> than the Hangang.

❺ John was <u>the bravest</u> of all the boys.

17 ❶ My father is <u>busier</u> than Mr. Simpson.

❷ Australia is <u>larger</u> than Korea.

❸ August is <u>hotter</u> month of the year in the U.S.

❹ Sally is <u>the most diligent</u> in her class.

❺ Hallasan is <u>higher</u> than Taebaeksan.

[18 - 20] 우리말 뜻과 같도록 주어진 말을 사용하여 문장을 완성하세요.

18 그 바지가 내 청바지보다 더럽다. (dirty)

➡ The pants are ＿＿＿＿＿＿＿＿＿ than my blue jeans.

19 한국에서는 1월이 12월보다 춥다. (cold)

➡ January is ＿＿＿＿＿＿＿＿＿ than December in Korea.

20 이 신발이 그 가게에서 가장 크다. (big)

➡ These shoes are ＿＿＿＿＿＿＿＿＿ in the store.

[21 - 23] 주어진 말을 바르게 배열하여 문장을 쓰세요.

21 (taller / the tower / than / this building / is / .)

➡ _____

이 건물이 그 탑보다 높다.

22 (the most handsome / is / Bob / boy / in his class / .)

➡ _____

밥은 자기 반에서 가장 잘생긴 남자아이이다.

23 (was / she / the healthiest / of them all / .)

➡ _____

그녀가 그들 중에서 가장 건강했다.

[24 - 25] 다음 우리말 뜻과 같도록 주어진 말을 사용하여 문장을 쓰세요.

24 오늘은 어제보다 따뜻하다. (today, yesterday, warm)

➡ _____

25 나일 강은 세계에서 가장 긴 강이다. (the Nile, river, long, in the world)

➡ _____

1 비교급과 최상급 만들기 (규칙)

대부분	원급+¹[ ] / ²[ ]	fast – faster – the fastest
-e로 끝나는 경우	원급 +-r/-st	large – larger – the largest
「단모음+단자음」으로 끝나는 경우	마지막 ³[ ]을 한 번 더 쓰고 -er/-est	hot – hotter – the hottest big – bigger – the biggest
「자음+y」으로 끝나는 경우	-y → ⁴[ ] / ⁵[ ]	happy – happier – the happiest
2, 3음절 이상	⁶[ ]+원급 / ⁷[ ] ⁸[ ]+원급	famous – more famous – the most famous

2 비교급, 최상급 문장

❶ 형용사/부사의 비교급+¹[   ] : ~보다 더 …한/하게

❷ 형용사/부사의 최상급+²[   ] / ³[   ]+비교 대상: ~중에서 가장 …한/하게

Check Up 그림을 보고, 알맞은 말을 찾아 다음 대화의 빈칸에 쓰세요.

most   than   the

비교 (2)

오늘은 애완동물을 소개하는 날이에요.

시경이네 개 레오는
민지네 개 초코만큼 작아요.

Leo is **as small as** Choco.

레오가 초코만큼 큰 소리로 짖고 있어요.
이렇게 비교하는 두 대상의 정도가 비슷할 때는
as와 as 사이에 형용사, 부사의 원급을 써서 나타내요.

Leo is barking **as loudly as** Choco.

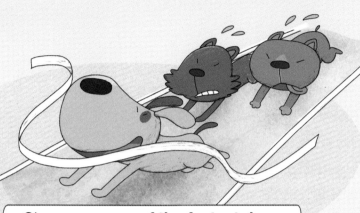

초코는 지난주 경기에서 가장
빨리 달린 개 중 한 마리였어요.

Choco was **one of the fastest dogs** in the race.

레오는 가장 느리게 달린 개 중
한 마리였고요.

Leo was **one of the slowest dogs** in the race.

이렇게 '가장 ~한 것 중 하나'라고 나타낼 때는
「one of the+최상급+복수명사」를 써요.

01 원급을 사용한 비교

사람이나 사물, 장소 등 두 대상의 특징이 동등할 때 형용사나 부사의 원급을 사용하여 비교할 수 있습니다.

A as ~ as

'~만큼 …한/하게'라는 뜻으로 as와 as 사이에 형용사, 부사의 원래 형태(원급)를 써서
「as+원급+as」로 나타냅니다. 두 번째 as 다음에 대명사가 나오는 경우 주로 목적격을 씁니다.

Jake is **as heavy as** me. 제이크는 나만큼 무겁다.

Honey is **as sweet as** sugar. 꿀은 설탕만큼 달다.

She runs **as fast as** her cousin. 그녀는 자기 사촌만큼 빨리 달린다.

B not as ~ as

'~만큼 …하지 않은/않게'라는 부정의 뜻을 표현할 때는 not을 써서 「not as+원급+as」로 나타냅니다.

The river is **not as deep as** the sea. 그 강은 바다만큼 깊지 않다.

An ant is **not as big as** a grasshopper. 개미는 메뚜기만큼 크지 않다.

Patrick did **not** climb the mountain **as often as** Amy.

패트릭은 에이미만큼 등산을 자주 가지 않았다.

C as ~ as+주어+can[could]

'~가 할 수 있는 한 …하게'라는 뜻으로, 문장의 시제가 과거일 경우 can 대신 could를 씁니다.
「as+원급+as+주어+can[could]」는 「as+원급+as possible」로 바꿔 쓸 수 있습니다.

I walked **as often as I could**. 나는 할 수 있는 한 자주 걸었다.

Call the police **as soon as possible**. 가능한 한 빨리 경찰에 전화해라.

Grammar Walk

정답 및 해설 13쪽

A 다음 문장에서 「as+원급+as」를 찾아 동그라미 하세요.

1 My grandma is (as healthy as) him.

2 He ate as slowly as his friend.

3 Her hair is as white as snow.

4 His story is as sad as Ms. Bronte's.

5 Kelly plays computer games as well as me.

6 This classroom is not as large as that one.

7 My sister is not as free as you.

8 Miranda didn't kick the ball as far as the player.

9 Paper is not as heavy as stone.

10 You are not as polite as your brother.

11 They got out of the building as soon as they could.

12 We should run as fast as we can.

13 Please speak as loudly as you can.

14 My brother met Jina as often as he could.

15 Emily has to finish her homework as quickly as she can.

원급은 형용사나 부사의 원래 형태를 말해.

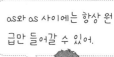

as와 as 사이에는 항상 원급만 들어갈 수 있어.

WORDS · healthy 건강한 · free 한가한 · stone 돌, 돌멩이 · polite 예의 바른 · get out of ～에서 나가다

02 비교급과 최상급의 다양한 표현

비교급과 최상급을 사용해서 다양한 표현의 문장들을 쓸 수 있습니다.

A 「비교급+and+비교급」

'점점 더 ~한/하게'라는 뜻으로 「비교급+and+비교급」 또는 「more and more+원급」을 씁니다.
대개 get, become, grow처럼 '~되다, ~해지다'라는 뜻의 동사와 함께 쓰입니다.

It's getting **darker and darker**. 점점 더 어두워지고 있다.
The baby cried **more and more loudly**. 그 아기는 점점 더 큰 소리로 울었다.

B 비교급 강조

'훨씬 ~한/하게'라는 뜻으로 비교급을 강조할 때는 비교급 앞에 much, a lot, far, still, even 등을 씁니다. very는 쓸 수 없습니다.

The sun is **much bigger than** the moon. 태양이 달보다 훨씬 크다.
The subway is **a lot faster than** the bus. 지하철이 버스보다 훨씬 빠르다.
Ann drives **far more carefully than** Tom. 앤이 톰보다 훨씬 조심스럽게 운전한다.

C one of the+최상급+복수명사

'가장 ~한 …들 중 하나'라는 뜻으로 「one of the+최상급+복수명사」를 씁니다.

Teresa is **one of the most popular girls** in my class.
테레사는 우리 반에서 가장 인기 있는 여자아이들 중 한 명이다.

A cheetah is **one of the fastest animals** in the world.
치타는 세상에서 가장 빠른 동물들 중 하나이다.

Grammar Walk

정답 및 해설 14쪽

A 다음 문장에서 주어진 말이 들어갈 위치로 알맞은 곳에 동그라미 하세요.

1 The ❶ train ❷ ran ❸ faster ④ faster. (and)

2 Jenny ❶ became ❷ more ❸ more ❹ beautiful. (and)

3 It ❶ is ❷ getting ❸ hotter ❹ hotter. (and)

4 The game ❶ became ❷ more ❸ more ❹ exciting. (and)

5 Nick ❶ grew ❷ stranger ❸ stranger ❹ . (and)

6 Busan ❶ is ❷ larger ❸ than ❹ Jinhae. (much)

7 Seoul ❶ is ❷ more crowded ❸ than ❹ Gimpo. (a lot)

8 The giraffe's neck ❶ is ❷ longer ❸ than ❹ the rabbit's. (even)

9 Gold ❶ is ❷ more expensive ❸ than ❹ silver. (still)

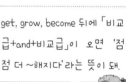

'점점 더 ~한[하게]'는 「비교급+and+비교급」으로 나타내는데, more를 붙여 비교급을 만드는 형용사/부사의 경우 「more and more+원급」으로 써.

10 A bus ❶ is ❷ faster ❸ than ❹ a bike. (far)

11 He ❶ is ❷ one ❸ of ❹ men in the world. (the wisest)

12 She ❶ is ❷ one ❸ of ❹ people in Korea. (the most famous)

get, grow, become 뒤에 「비교급+and+비교급」이 오면 '점점 더 ~해지다'라는 뜻이 돼.

13 This ❶ is ❷ one ❸ of ❹ buildings in our village. (the newest)

14 Tina ❶ is ❷ one ❸ of ❹ singers in my class. (the best)

15 Lincoln ❶ is ❷ one ❸ of ❹ men in the U.S. (the most honest)

WORDS · **strange** 이상한 · **crowded** 붐비는 · **gold** 금 · **silver** 은 · **honest** 정직한

Grammar Run! ....

A 다음 문장의 괄호 안에서 알맞은 말을 골라 동그라미 하세요.

1 James studied as (harder / (hard)) as you.

2 My bike is as (more expensive / expensive) as yours.

3 He is as strong (as / than) Arnold.

4 I went to the library as often (as / of) her.

5 His nose is as (long / longer) as Pinocchio's.

6 The park is not as (closest / close) as the hospital.

7 Anna didn't sing as beautifully (than / as) Jane.

8 The Thames isn't as (wider / wide) as the Hangang.

9 My puppy is not (as / in) fat as yours.

10 This building isn't as (old / older) as that one.

11 He drove as (the most carefully / carefully) as he could.

12 Cecil exercised as often as (she could / she did).

13 Please answer the question as quickly (as / than) you can.

14 He raised his hand as (high / higher) as he could.

15 My son has to run as fast as (he does / he can).

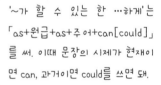

'~가 할 수 있는 한 …하게'는
「as+원급+as+주어+can[could]」
를 써. 이때 문장의 시제가 현재이
면 can, 과거이면 could를 쓰면 돼.

WORDS · **close** 가까운 · **beautifully** 아름답게 · **wide** 넓은, 너른 · **carefully** 조심스럽게 · **raise** 들어 올리다

정답 및 해설 14쪽

B 다음 문장의 괄호 안에서 알맞은 말을 골라 동그라미 하세요.

1 The exam was getting more ((and) / than) more difficult.

2 The Earth is getting warmer and (warm / warmer).

3 Jason became (the healthiest / healthier) and healthier.

4 The tree grew (tall / taller) and taller.

5 These jeans are becoming more and (more / much) popular.

6 My cousin is (much / very) lazier than me.

7 This snake is (too / a lot) longer than that rope.

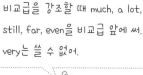

비교급을 강조할 때 much, a lot, still, far, even을 비교급 앞에 써. very는 쓸 수 없어.

8 The onions were (still / either) fresher than the carrots.

9 Diamond is (very / even) harder than stone.

10 Chen's English was (far / very) worse than May's.

11 A cheetah is one of the fastest (animal / animals) in the world.

12 He is one (of / in) the most famous actors in Canada.

13 This is one of (funnier / the funniest) books in the world.

14 Steve Jobs was (a / one) of the smartest people in the world.

15 A scorpion is one of (more / the most) dangerous animals in the world.

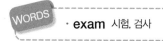
· **exam** 시험, 검사   · **Earth** 지구   · **onion** 양파   · **hard** 단단한   · **scorpion** 전갈

Grammar Jump!

A 다음 문장에서 밑줄 친 부분의 우리말 뜻을 빈칸에 쓰세요.

1 He is <u>as brave as a tiger</u>. ➡ __호랑이만큼 용감한__

2 The kite flew <u>as high as an eagle</u>. ➡ _____

3 Ken was singing <u>as well as Linda</u>. ➡ _____

4 The moon is <u>not as bright as that star</u>. ➡ _____

5 Yesterday was <u>not as cold as today</u>. ➡ _____

6 A moth is <u>not as colorful as a butterfly</u>. ➡ _____

7 It's getting <u>warmer and warmer</u>. ➡ _____

8 The game became <u>more and more boring</u>. ➡ _____

9 Sandra got <u>thinner and thinner</u>. ➡ _____

10 A bear is <u>far bigger than a rabbit</u>. ➡ _____

11 Jack looks <u>much sleepier than you</u>. ➡ _____

12 I visit my grandparents <u>as often as I can</u>. ➡ _____

13 He studied <u>as hard as he could</u>. ➡ _____

14 Paul is <u>one of the best cooks</u> in the world. ➡ _____

15 Soccer is <u>one of the most popular sports</u> in the world. ➡ _____

WORDS · **eagle** 독수리 · **bright** 밝은 · **moth** 나방 · **colorful** 형형색색의, 다채로운 · **sleepy** 졸리운

B 주어진 말을 사용하여 다음 문장을 완성하세요.

1 Joe spoke ___as quietly as Alex___. (quietly, as, Alex)
조는 알렉스만큼 조용히 말했다.

2 Today is _____. (hot, as, yesterday)
오늘은 어제만큼 덥다.

3 Linda was _____. (pretty, as, her sister)
린다는 자기 언니만큼 예뻤다.

4 She didn't get up _____. (early, as, her mom)
그녀는 자기 엄마만큼 일찍 일어나지 않았다.

5 Ms. Park is _____. (not, young, as, Ms. Kim)
박 선생님은 김 선생님만큼 젊지 않다.

6 The truck ran _____. (fast, and)
그 트럭은 점점 더 빨리 달렸다.

7 The pigs grew _____. (fat, and)
그 돼지들은 점점 더 뚱뚱해졌다.

8 Roses are getting _____. (expensive, and)
장미가 점점 더 비싸지고 있다.

9 The star is _____ than the sun. (much, small)
그 별은 태양보다 훨씬 작다.

10 This sofa looks _____ than that chair. (a lot, comfortable)
이 소파가 저 의자보다 훨씬 편안해 보인다.

11 Jenny's pencil is _____ than Tim's. (even, long)
제니의 연필은 팀의 것보다 훨씬 길다.

12 Sue finished her homework _____ she _____. (quickly, as, could)
수는 할 수 있는 한 빨리 숙제를 끝마쳤다.

13 I threw the ball _____ I _____. (far, as, could)
나는 할 수 있는 한 멀리 그 공을 던졌다.

14 Hyde Park is one of _____ in the world. (famous, park)
하이드 파크는 세계에서 가장 유명한 공원들 중 하나이다.

15 He is one of _____ in the hospital. (kind, doctor)
그는 그 병원에서 가장 친절한 의사들 중 한 명이다.

WORDS · **quietly** 조용히 · **comfortable** 편한, 편안한 · **quickly** 빨리, 빠르게 · **throw** 던지다 · **famous** 유명한

Grammar Fly! . . . .

A 다음 문장의 밑줄 친 부분을 바르게 고쳐 문장을 다시 쓰세요.

1 Your voice is as <u>softer</u> as his voice. 네 목소리는 그의 목소리만큼 부드럽다.
➡   Your voice is as soft as his voice.

2 He rides a bike as carefully <u>than</u> his brother. 그는 자기 형만큼 조심스럽게 자전거를 탄다.
➡ _____

3 Judy is not as <u>the busiest</u> as Brian. 주디는 브라이언만큼 바쁘지 않다.
➡ _____

4 This chair is not as strong <u>than</u> that chair. 이 의자는 저 의자만큼 튼튼하지 않다.
➡ _____

5 The days become <u>short and short</u> in winter. 겨울에는 낮이 점점 더 짧아진다.
➡ _____

6 The noise became <u>more and more loud</u>. 소음이 점점 더 커졌다.
➡ _____

7 The cat is <u>very</u> bigger than the puppy. 그 고양이가 그 강아지보다 훨씬 크다.
➡ _____

8 P.E. is far <u>interesting</u> than music. 체육이 음악보다 훨씬 재미있다.
➡ _____

9 Let's go home as early <u>than</u> possible. 가능한 한 일찍 집에 가자.
➡ _____

10 He went to the hospital as quickly as he <u>did</u>. 그는 할 수 있는 한 빨리 병원에 갔다.
➡ _____

11 Kim Yuna is one of the greatest <u>skater</u> in the world.
김연아는 세계에서 가장 위대한 스케이트 선수들 중 한 명이다.
➡ _____

12 *Henry's Steak* is one of the worst <u>restaurant</u> in this city.
헨리네 스테이크는 이 도시에서 가장 나쁜 음식점들 중 하나이다.
➡ _____

WORDS   · **voice** 목소리, 음성   · **soft** 부드러운   · **noise** 소음   · **loud** (소리가) 큰, 시끄러운   · **possible** 가능한

B 주어진 말을 바르게 배열하여 문장을 쓰세요.

1 (as / the car is / cheap / as / the computer / .) 그 자동차는 그 컴퓨터만큼 싸다.
➡ The car is as cheap as the computer.

2 (the water / as / the soup is / hot / as / .) 그 수프가 그 물만큼 뜨겁다.
➡ _____

3 (as / golf is not / ice hockey / as / dangerous / .) 골프는 아이스하키만큼 위험하지 않다.
➡ _____

4 (as / I was not / as / sad / her / .) 나는 그녀만큼 슬프지 않았다.
➡ _____

5 (and / brighter / it's getting / brighter / .) 날이 점점 더 밝아지고 있다.
➡ _____

6 (Alice / grew / and / taller / taller / .) 앨리스는 점점 더 키가 커졌다.
➡ _____

7 (a lot / her sister / Cecil was / lazier / than / .) 세실은 자기 언니보다 훨씬 게을렀다.
➡ _____

8 (Kate threw the ball / him / even / than / farther / .) 케이트가 그보다 훨씬 멀리 공을 던졌다.
➡ _____

9 (as / I'll be back / soon / as / I can / .) 나는 할 수 있는 한 빨리 돌아올 것이다.
➡ _____

10 (as / slowly / my dad drank coffee / as / he could / .) 우리 아빠는 할 수 있는 한 천천히 커피를 드셨다.
➡ _____

11 (one of / the Sahara Desert / is / deserts / the largest / in Africa / .)
사하라 사막은 아프리카에서 가장 큰 사막들 중 하나이다.
➡ _____

12 (one of / Hercules / was / heroes / the bravest / in Greece / .)
헤라클레스는 그리스에서 가장 용감한 영웅들 중 한 명이었다.
➡ _____

WORDS · ice hockey 아이스하키 · be back 돌아오다 · desert 사막 · hero 영웅 · Greece 그리스

Grammar & Writing

A 정보 활용하기 다음 사진을 보고, 주어진 말을 사용하여 문장을 완성하세요.

1

(smart, animal)

A chimpanzee is ___one of the smartest animals___ in the world.

2

(heavy, animal)

A whale is _____ in the world.

3

(lazy, animal)

A panda is _____ in the world.

4

(crowded, city)

New York is _____ in the world.

5

(great, building)

The pyramid is _____ in the world.

6

(large, jungle)

The Amazon jungle is _____ in the world.

 · **chimpanzee** 침팬지 · **whale** 고래 · **panda** 판다 · **pyramid** 피라미드 · **the Amazon jungle** 아마존 정글

B　[정보 활용하기] 다음은 내일 열릴 100m 달리기 결승전에 출전할 주자들에 대한 안내문입니다. 안내문의 내용에 맞게 주어진 말을 사용하여 문장을 완성하세요.

Class Runners

Sue
나이: 12살
키: 160cm
100미터 기록: 15초

Jeff
나이: 12살
키: 150cm
100미터 기록: 15초

Tony
나이: 13살
키: 160cm
100미터 기록: 17초

1 Sue is _____as old as_____ Jeff. (old)

2 Jeff is _____ Tony. (not, old)

3 Tony is _____ Sue. (tall)

4 Jeff is _____ Sue. (not, tall)

5 Jeff runs _____ Sue. (fast)

6 Tony is _____ Sue. (not, fast)

 WORDS　· **class** 학급, 반　· **runner** 주자

UNIT TEST 04

[1-3] 다음 문장의 빈칸에 알맞은 말을 고르세요.

1

I am not as ＿＿＿＿＿ as him.

❶ strong ❷ stronger ❸ the strongest

❹ more strong ❺ the most strong

2

The nights became ＿＿＿＿＿ and longer.

❶ long ❷ longer ❸ the longest

❹ more long ❺ the most long

3

Bill Gates is one of ＿＿＿＿＿ men in the world.

❶ rich ❷ richer ❸ the richest

❹ more rich ❺ the most rich

[4-5] 다음 문장의 빈칸에 들어갈 수 <u>없는</u> 말을 고르세요.

4

This ball is as ＿＿＿＿＿ as that one.

❶ heavy ❷ red ❸ new

❹ older ❺ cheap

5

Suji drove a car as ＿＿＿＿＿ as she could.

❶ safely ❷ slowly ❸ often

❹ carefully ❺ faster

[6-8] 다음 밑줄 친 우리말을 영어로 바르게 옮긴 것을 고르세요.

6

> The baseball game was getting 점점 더 흥미진진한.

❶ exciting and exciting

❷ more exciting and exciting

❸ the most exciting

❹ more and more exciting

❺ the most exciting and exciting

7

> My shoes are 그의 것만큼 큰.

❶ as big as his

❷ as bigger as his

❸ as the biggest as his

❹ as bigger than his shoes

❺ bigger than his

8

> James visited his grandfather 할 수 있는 한 자주.

❶ as often as he could

❷ as often as could

❸ as often as he should

❹ as often as he can

❺ as often as he did

[9-10] 다음 문장에서 밑줄 친 부분을 바르게 고쳐 쓴 것을 고르세요.

9

> The sun is <u>very</u> bigger than the moon.

❶ much   ❷ too   ❸ either   ❹ soon   ❺ often

10

> Brad is one of <u>taller</u> boys in his class.

❶ tall

❷ more tall

❸ the tallest

❹ tallest

❺ the most tall

[11-13] 다음 우리말 뜻과 같도록 괄호 안에서 알맞은 말을 고르세요.

11

부산은 한국에서 가장 큰 도시들 중 하나이다.

➡ Busan is one of the largest (city / cities) in Korea.

12

내 필통은 네 것만큼 좋다.

➡ My pencil case is as (good / better) as yours.

13

이 샌드위치는 저 샌드위치보다 훨씬 맛있다.

➡ This sandwich is (even / very) more delicious than that one.

[14-15] 다음 문장의 빈칸에 공통으로 알맞은 말을 고르세요.

14

- Get up as early _____ you can.
- My hair is not as long _____ yours.

❶ than   ❷ as   ❸ but

❹ then   ❺ and

15

- The girl cried more _____ more loudly.
- It's getting hotter _____ hotter.

❶ as   ❷ than   ❸ and

❹ but   ❺ of

[16-17] 다음 중 올바른 문장을 고르세요.

16 ❶ The cat grew fat and fat.

❷ My bag is still bigger than yours.

❸ Call the police as sooner as you can.

❹ Jim is as more handsome as his brother.

❺ Mt. Everest is one of the highest mountain in the world.

17 ❶ I am as braver as him.

❷ It's getting colder and colder.

❸ Sumi didn't draw pictures as better as Bora.

❹ The boy is very smarter than his friend.

❺ This is the one of the cheapest skirt in the shop.

[18-20] 다음 밑줄 친 부분을 바르게 고쳐 문장을 다시 쓰세요.

18 He walked as quickly <u>than</u> Emily.

➡ _____

19 Paul was one of the most honest <u>boy</u> in the village.

➡ _____

20 She is much <u>famous</u> than the actor.

➡ _____

정답 및 해설 16~17쪽

[21 – 22] 다음 우리말 뜻과 같도록 주어진 말을 사용하여 문장을 완성하세요.

21 말은 코끼리만큼 크지 않다. (big)

➡ A horse is not _____ _____ _____ an elephant.

22 신디는 점점 더 야위었다. (thin)

➡ Cindy became _____ _____ _____.

[23 – 25] 주어진 말을 바르게 배열하여 문장을 쓰세요.

23 (than / that computer / this computer / much / slower / is / .)

➡ _____

이 컴퓨터가 저 컴퓨터보다 훨씬 느리다.

24 (often / as / my mom / drank water / as / she could / .)

➡ _____

우리 엄마는 할 수 있는 한 자주 물을 드셨다.

25 (one of / is / this / the most famous / hospitals / in Korea / .)

➡ _____

이곳은 한국에서 가장 유명한 병원들 중 하나이다.

WRAP UP

정답 및 해설 17쪽

1 as ~ as / not as ~ as

❶ as+원급+ [   ]¹ : '~만큼 …한/하게'라는 뜻이다.

❷ not ² [   ] +원급+as: '~만큼 …하지 않은/않게'라는 뜻이다.

❸ as+원급+as+주어+ ³[   ] / ⁴[   ] : '~가 할 수 있는 한 …하게'라는 뜻으로,
「as+원급+as+ ⁵[   ]」로 바꿔 쓸 수 있다.

2 비교급과 최상급의 다양한 표현

❶ ¹[   ] and ²[   ] : '점점 더 ~한/하게'라는 뜻으로, 대개 get, become, grow 등의
동사와 함께 쓴다.

❷ 비교급을 강조할 때는 비교급 앞에 ³[   ] /a lot/far/still/ ⁴[   ] 등을 쓴다.

❸ 「one of the+최상급+ ⁵[   ]」는 '가장 ~한 …들 중 하나'라는 뜻이다.

Check Up 그림을 보고, 알맞은 말을 찾아 다음 대화의 빈칸에 쓰세요.

| the strongest | much | strong | stranger |

REVIEW TEST 02

1 다음 중 비교급과 최상급이 바르게 짝지어진 것을 고르세요.

❶ bad – worse – the worst
❷ much – mucher – the muchest
❸ wide – widder – the widdest
❹ healthy – healthyer – the healthyest
❺ expensive – expensiver – the expensivest

[2-4] 다음 문장의 빈칸에 알맞은 말을 고르세요.

2

| He is _____ than his cousin. |

❶ smart
❷ smarter
❸ the smartest
❹ more smart
❺ the most smart

3

| Sue was _____ in her class. |

❶ the popular
❷ popularer
❸ the popularest
❹ more popular
❺ the most popular

4

| My sister is as _____ as you. |

❶ old
❷ older
❸ the oldest
❹ more old
❺ the most oldest

5 다음 문장의 빈칸에 공통으로 알맞은 말을 고르세요.

- Jack is one _____ the kindest boys in his class.
- Lucy is the heaviest _____ the three.

❶ of
❷ in
❸ and
❹ but
❺ then

[6-7] 다음 우리말 뜻과 같도록 괄호 안에서 알맞은 말을 고르세요.

6

> 그는 점점 더 유명해졌다.

➡ He became (more and more famous / more as more famous).

7

> 민수는 나만큼 말랐다.

➡ Minsu is as thin (than / as) me.

8 다음 표의 내용과 일치하는 것을 고르세요.

	Age	Height	Weight
Justin	13 years old	160 cm	50 kg
Brian	12 years old	165 cm	60 kg

❶ Brian is as old as Justin. ❷ Justin is taller than Brian.

❸ Justin is heavier than Brian. ❹ Brian isn't as old as Justin.

❺ Brian is shorter than Justin.

[9-10] 다음 밑줄 친 부분 중 잘못된 것을 고르세요.

9 A whale is one of the biggest animal in the world.
　　　　 ❶　❷ ❸　　 ❹　　　　 ❺

10 Jia is very more diligent than Junsu.
　　　❶　　 ❷　 ❸　　 ❹　　 ❺

11 다음 밑줄 친 부분과 바꿔 쓸 수 없는 것을 고르세요.

> I felt <u>much</u> stronger than before.

❶ far   ❷ very   ❸ even   ❹ still   ❺ a lot

[12-13] 다음 문장의 빈칸에 들어갈 말이 순서대로 바르게 짝지어진 것을 고르세요.

12
> • The Earth is getting warmer _____ warmer.
> • Crystal is _____ doctor in the hospital.

❶ and – good   ❷ and – better   ❸ and – the best

❹ as – gooder   ❺ as – the goodest

13
> • This car isn't as small _____ that car.
> • The pants are a lot cheaper _____ the jacket.

❶ than – as   ❷ as – than   ❸ as – as

❹ than – than   ❺ than – and

14 다음 중 우리말을 영어로 잘못 옮긴 문장을 고르세요.

❶ 나는 너보다 아름답다. ➡ I am beautifuler than you.

❷ 그는 할 수 있는 한 자주 그들을 방문했다. ➡ He visited them as often as he could.

❸ 카일은 너만큼 높이 점프할 수 있다. ➡ Kyle can jump as high as you.

❹ 너는 점점 더 예뻐지고 있다. ➡ You are getting prettier and prettier.

❺ 샘은 너만큼 빨리 달릴 수 없다. ➡ Sam can't run as fast as you.

15 주어진 문장과 같은 뜻이 되도록 빈칸에 알맞은 말을 고르세요.

> I'll get up as early as I can. = I'll get up as early as _____.

❶ possible   ❷ I possible   ❸ am possible

❹ can possible   ❺ be possible

[16-17] 다음 우리말 뜻과 같도록 주어진 말을 사용하여 문장을 쓰세요.

16 그는 너만큼 잘생겼다. (handsome)

➡ _____

17 그 풍선은 점점 더 커졌다. (the balloon, big, became)

➡ _____

[18-20] 주어진 말을 바르게 배열하여 문장을 쓰세요.

18 (than / lazier / mine / his cat is / a lot / .)

➡ _____

그의 고양이는 내 것보다 훨씬 게으르다.

19 (books / of / it is / one / the most interesting / in the world / .)

➡ _____

그것은 세계에서 가장 재미있는 책들 중 하나이다.

20 (as / his father / well / Danny cooks / as / .)

➡ _____

대니는 자기 아버지만큼 요리를 잘한다.

to부정사 (1)

내 동생 민수는 나쁜 습관과
좋은 습관이 있다.

초등2학년

우선 민수의 나쁜 습관 하나, '다리를 떠는 것'.
동사 shake 앞에 to를 붙여서 명사처럼
'떠는 것'이란 뜻으로 쓸 수 있지.
이게 바로 to부정사!

To shake his legs is bad.

나쁜 습관 둘, '손톱을 물어뜯는 것'.
동사 bite에 to를 붙인 to부정사니까
'물어뜯는 것'이 되는 거야.

To bite his nails is bad.

이번엔 민수의 좋은 습관 하나,
'일찍 자는 것'.

To go to bed early is good.

좋은 습관 둘, '일찍 일어나는 것'.
다 to부정사를 써서 '~하는 것'이라고
말할 수 있구나.

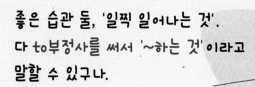

To get up early is good.

동사를 to부정사로 명사처럼
만들어 쓰니까 정말 편하네.

그런데 민수야. 우리 일요일은
늦잠 자면 안 될까?

01 명사처럼 쓰이는 to부정사 (1)

to부정사는 동사에 to를 붙인 형태로, 동사의 특성을 가지고 있으면서도
문장에서 동사가 아닌 명사, 형용사, 부사 등의 역할을 합니다.

A to부정사의 쓰임

to부정사는 동사원형에 to를 붙여 명사나 형용사, 부사의 역할을 하는 말입니다.

To learn English is very interesting. 영어를 배우는 것은 매우 재미있다. 〈명사〉

I have a lot of homework **to do**. 나는 해야 할 숙제가 많다. 〈형용사〉

He went out **to play** soccer. 그는 축구를 하기 위해 밖으로 나갔다. 〈부사〉

B 명사처럼 목적어로 쓰이는 to부정사

to부정사는 '~하기를', '~하는 것을'이라는 뜻으로 명사처럼 동사 뒤에서 목적어 역할을 합니다.

I <u>like</u> **to play** tennis. 나는 테니스 치는 것을 좋아한다.

Jeff <u>wanted</u> **to become** a magician. 제프는 마술사가 되고 싶어 했다.

Ruby <u>loves</u> **to draw** pictures. 루비는 그림 그리는 것을 매우 좋아한다.

The students <u>hate</u> **to wear** school uniforms. 그 학생들은 교복 입는 것을 싫어한다.

They <u>decided</u> **to lose** weight. 그들은 몸무게를 줄이기로 결심했다.

Grammar Walk

A 다음 동사를 to부정사로 바꿔 빈칸에 쓰세요.

1 find ➡ _____to find_____

2 swim ➡ _____

3 catch ➡ _____

4 fly ➡ _____

5 throw ➡ _____

6 jog ➡ _____

7 write ➡ _____

8 tie ➡ _____

9 feed ➡ _____

10 mix ➡ _____

B 다음 문장에서 동사를 찾아 밑줄을 치고, 「to+동사원형」을 찾아 동그라미 하세요.

1 I <u>like</u> (to ride) a bike.

2 We love to wear jeans.

3 Nami hates to read books.

4 He decided to study math.

5 Fiona started to cook.

6 I planned to travel this winter.

7 Shrek likes to clean the room.

8 They wanted to eat the soup.

9 I hope to see you soon.

10 Junsu began to sing suddenly.

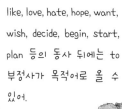

일반동사 뒤에 나오는 to부정사는 '~하는 것을', '~하기를'이라는 뜻으로 동사의 목적어 역할을 해.

like, love, hate, hope, want, wish, decide, begin, start, plan 등의 동사 뒤에는 to부정사가 목적어로 올 수 있어.

WORDS　· mix 섞다　· decide 결정하다　· start 시작하다　· plan 계획하다　· suddenly 갑자기

02 명사처럼 쓰이는 to부정사 (2)

to부정사는 문장에서 목적어뿐만 아니라 주어와 보어로도 쓰일 수 있습니다.

A 명사처럼 주어로 쓰이는 to부정사

to부정사는 '~하기는', '~하는 것은'이라는 뜻으로 명사처럼 주어 역할을 하기도 합니다.

To exercise every day <u>is</u> good for our health. 매일 운동하는 것은 우리 건강에 좋다.

To listen to music <u>is</u> my hobby. 음악을 듣는 것이 내 취미이다.

To keep a diary <u>is</u> a good habit. 일기를 쓰는 것은 좋은 습관이다.

To cook spaghetti <u>isn't</u> easy. 스파게티를 만드는 것은 쉽지 않다.

💡 주어의 역할을 하는 to부정사는 항상 3인칭 단수입니다.

To draw pictures <u>are</u> interesting. (X)

To draw pictures <u>is</u> interesting. (O)

그림을 그리는 것은 재미있다.

B 명사처럼 보어로 쓰이는 to부정사

to부정사는 be동사 뒤에서 '~하는 것이다'라는 뜻으로 명사처럼 보어 역할을 하기도 합니다.

His dream <u>is</u> **to become** a pilot. 그의 꿈은 비행기 조종사가 되는 것이다.

To see <u>is</u> **to believe**. 보는 것이 믿는 것이다.

My job <u>is</u> **to feed** the animals at the zoo. 내 직업은 동물원에서 동물들에게 먹이를 주는 것이다.

His hobby <u>is</u> **to collect** model airplanes. 그의 취미는 모형 비행기를 수집하는 것이다.

Grammar Walk

A 다음 문장에서 동사를 찾아 밑줄을 치고, 「to+동사원형」을 찾아 동그라미 하세요.

1 (To find) my watch <u>was</u> hard.

2 To go camping is exciting.

3 To follow the traffic rules is important.

4 Her dream was to become a vet.

5 My hobby is to sew.

6 The old man's goal was to travel around the world.

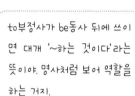

to부정사가 명사처럼 주어로 쓰이면 동사는 3인칭 단수형을 써.

to부정사가 be동사 뒤에 쓰이면 대개 '~하는 것이다'라는 뜻이야. 명사처럼 보어 역할을 하는 거지.

B 다음 우리말 뜻과 같도록 주어진 말을 사용하여 빈칸에 알맞은 말을 쓰세요.

1 이 마을을 떠나는 것 ➡ ___to___ ___leave___ this town (leave)

2 한국어를 배우는 것 ➡ _____ _____ Korean (learn)

3 컴퓨터를 파는 것 ➡ _____ _____ computers (sell)

4 그 경주에서 뛰는 것 ➡ _____ _____ in the race (run)

5 농구를 하는 것 ➡ _____ _____ basketball (play)

6 영화를 보는 것 ➡ _____ _____ movies (watch)

WORDS · **hard** 힘든 · **follow** (충고나 지시 등을) 따르다 · **traffic rule** 교통 규칙 · **important** 중요한 · **sew** 바느질하다

 Grammar Run! ....

A 다음 문장의 괄호 안에서 알맞은 말을 골라 동그라미 하세요.

> want, like, love, decide, start, hate, plan, learn, need, promise, forget 등과 같은 동사들 뒤에는 '~을[를]'이라는 뜻의 목적어가 와.

1 I want (drink / (to drink)) some water.

2 My father didn't like (went / to go) jogging.

3 He loves (to cook / to cooks) Korean food.

4 Sam decided (to become / to became) an engineer.

5 We started (to climb / climbs) the mountain.

6 Janet likes (to played / to play) badminton.

7 Ms. Mun hates (exercised / to exercise).

8 I'm planning (to learned / to learn) Japanese this summer.

9 You need (to wear / wear) your seat belt.

10 Edgar promised (to lend / lend) the book to me.

11 Her mother forgot (to turn / to turns) off the lamp.

12 They wanted (to have / have) a new table.

13 The twins began (cries / to cry).

14 She decided (to call / called) Jack tonight.

15 His grandmother is learning (to dance / danced).

WORDS   · **engineer** 기술자   · **exercise** 운동하다   · **Japanese** 일본어   · **seat belt** 안전띠, 안전벨트   · **lend** 빌려 주다

B 다음 문장의 괄호 안에서 알맞은 말을 골라 동그라미 하세요.

1 (To drive / Drove) is exciting.

2 (To read / Read) a book is sometimes boring.

3 (Spoke / To speak) Chinese is difficult.

4 (To caught / To catch) the ball was easy.

5 (To draw / Draws) pictures is fun.

6 (Has / To have) breakfast is good for our health.

7 (To swim / Swam) across the Hangang is dangerous.

8 (Played / To play) the violin is interesting.

9 My hobby is (to collected / to collect) coins.

10 Her job is (to teach / taught) English.

11 Jake's wish was (lives / to live) with his family.

12 His dream is (to became / to become) a soldier.

13 Her hobby was (to take / took) pictures.

14 Tim's job is (to build / builds) a ship.

15 Sue's goal is (win / to win) the contest.

to 뒤에는 항상 동사원형을 써야 한다는 것 잊지 마!

WORDS

· **health** 건강　　· **coin** 동전　　· **soldier** 군인　　· **win** 이기다, 우승하다　　· **contest** 대회, 시합

Grammar Jump!

A 밑줄 친 부분에 유의하여 다음 문장의 우리말 뜻을 완성하세요.

1 My mother promised <u>to buy</u> a cap for me.
➡ 우리 어머니는 내게 모자를 ___사 주기___ 로 약속하셨다.

to부정사가 명사처럼 문장에서 주어, 목적어, 보어 역할을 하면 '~하기, ~하는 것'으로 해석하면 돼.

2 We don't love <u>to wear</u> school uniforms.
➡ 우리는 교복 _____을 썩 좋아하지 않는다.

3 I want <u>to pass</u> the test.
➡ 나는 그 시험에 _____를 원한다.

4 They started <u>to run</u> suddenly.
➡ 그들은 갑자기 _____ 시작했다.

5 The kangaroo began <u>to jump</u> high.
➡ 그 캥거루는 높이 _____ 시작했다.

to부정사가 be동사 앞에 있으면 주어!

6 I forgot <u>to return</u> the book.
➡ 나는 그 책을 _____을 잊어버렸다.

7 <u>To ride</u> a mortorcycle is dangerous.
➡ 오토바이를 _____은 위험하다.

8 <u>To drink</u> cola is bad for your teeth.
➡ 콜라를 _____은 네 치아에 나쁘다.

to부정사가 be동사 뒤에 있으면 보어!

9 <u>To knit</u> a vest is fun.
➡ 조끼를 _____은 재미있다.

10 My dream is <u>to dance</u> on the stage.
➡ 내 꿈은 무대 위에서 _____이다.

to부정사가 일반동사 뒤에 있으면 주로 목적어야.

11 Tarzan's hope is <u>to live</u> on the beach.
➡ 타잔의 바람은 해변에서 _____이다.

12 His hobby is <u>to listen</u> to music.
➡ 그의 취미는 음악을 _____이다.

WORDS　· **pass** 통과하다　· **return** 돌려주다, 반납하다　· **be bad for** ~에 나쁘다　· **knit** 뜨개질하다　· **stage** 무대

B 주어진 말을 사용하여 다음 문장을 완성하세요.

1 I hope ____to____ ____go____ to the moon. (go)

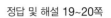

동사 뒤에는 목적어나 보어가 오니까 빈칸에 보어나 목적어 역할을 할 수 있는 to부정사를 써야겠군!

2 People began _____ _____ paper money. (use)

3 Kelly decided _____ _____ the skirt. (buy)

4 Hojin wanted _____ _____ the race. (win)

5 I'm planning _____ _____ New York. (visit)

6 Minsu learned _____ _____ the English alphabet. (read)

7 I promised _____ _____ my friends. (meet)

8 _____ _____ a lie is wrong. (tell)

9 _____ _____ your promises is important. (keep)

10 _____ _____ that mountain is dangerous. (climb)

동사 앞에는 주어가 와야 하니까 주어 역할을 할 수 있는 to부정사를 쓰면 되겠구나!

11 _____ _____ novels was Ms. Rowling's job. (write)

12 His goal was _____ _____ a good score. (get)

13 Sumi's wish is _____ _____ to Australia. (travel)

14 My mother's dream was _____ _____ a famous singer. (become)

15 Josh's wish is _____ _____ a jet. (fly)

WORDS · **paper money** 지폐 · **tell a lie** 거짓말하다 · **wrong** 틀린, 잘못된 · **keep one's promise** 약속을 지키다

Grammar Fly! . . . .

A 주어진 말을 사용하여 다음 문장을 완성하세요.

1 She likes _____to run in the park_____. (run in the park)
그녀는 공원에서 달리는 것을 좋아한다.

2 David decided _____. (become a movie star)
데이비드는 영화 배우가 되기로 결심했다.

3 I hate _____. (swim in the pool)
나는 수영장에서 수영하는 것을 무척 싫어한다.

4 My aunt didn't begin _____. (exercise)
우리 이모는 운동을 시작하지 않으셨다.

5 They didn't need _____. (write letters)
그들은 편지를 쓸 필요가 없었다.

6 Betty often forgets _____. (wash her hands)
베티는 손을 씻는 것을 자주 잊어버린다.

7 _____ is very exciting. (play basketball)
농구를 하는 것은 매우 흥미진진하다.

8 _____ is not easy. (learn Chinese)
중국어를 배우는 것은 쉽지 않다.

9 _____ was fun. (feed the goats)
그 염소들에게 먹이를 주는 것은 재미있었다.

10 His dream is _____. (become a scientist)
그의 꿈은 과학자가 되는 것이다.

11 My sister's wish is _____. (have a pretty doll)
내 여동생의 소원은 예쁜 인형을 가지는 것이다.

12 My father's job is _____. (teach French)
우리 아버지의 직업은 프랑스 어를 가르치는 것이다.

WORDS · **movie star** 영화 배우   · **begin** 시작하다   · **feed** 먹이를 주다   · **job** 일, 직업   · **French** 프랑스 어

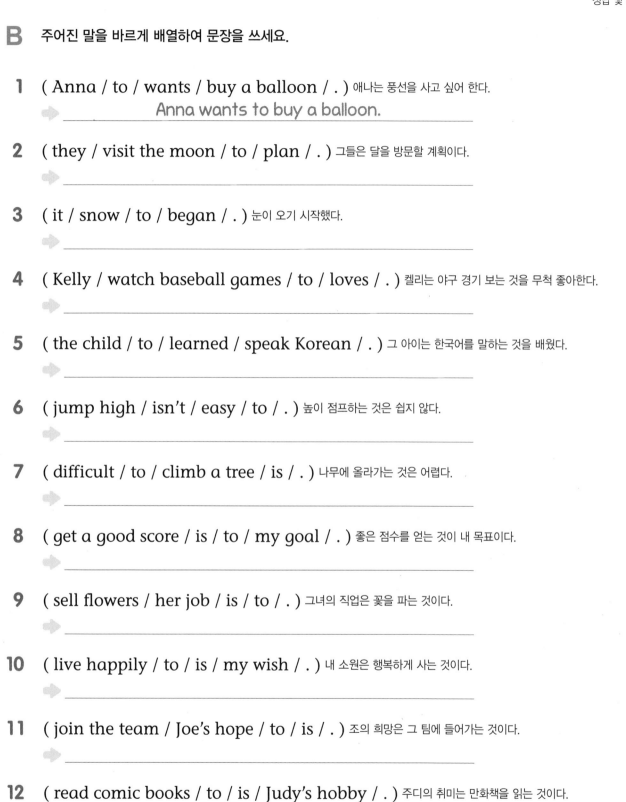

B 주어진 말을 바르게 배열하여 문장을 쓰세요.

1 (Anna / to / wants / buy a balloon / .) 애나는 풍선을 사고 싶어 한다.
➡ Anna wants to buy a balloon.

2 (they / visit the moon / to / plan / .) 그들은 달을 방문할 계획이다.
➡ _____

3 (it / snow / to / began / .) 눈이 오기 시작했다.
➡ _____

4 (Kelly / watch baseball games / to / loves / .) 켈리는 야구 경기 보는 것을 무척 좋아한다.
➡ _____

5 (the child / to / learned / speak Korean / .) 그 아이는 한국어를 말하는 것을 배웠다.
➡ _____

6 (jump high / isn't / easy / to / .) 높이 점프하는 것은 쉽지 않다.
➡ _____

7 (difficult / to / climb a tree / is / .) 나무에 올라가는 것은 어렵다.
➡ _____

8 (get a good score / is / to / my goal / .) 좋은 점수를 얻는 것이 내 목표이다.
➡ _____

9 (sell flowers / her job / is / to / .) 그녀의 직업은 꽃을 파는 것이다.
➡ _____

10 (live happily / to / is / my wish / .) 내 소원은 행복하게 사는 것이다.
➡ _____

11 (join the team / Joe's hope / to / is / .) 조의 희망은 그 팀에 들어가는 것이다.
➡ _____

12 (read comic books / to / is / Judy's hobby / .) 주디의 취미는 만화책을 읽는 것이다.
➡ _____

WORDS · **score** (테스트 등의) 점수 · **goal** 목표 · **wish** 소원 · **join** 가입하다 · **hope** 희망

Grammar & Writing

A 정보 활용하기 다음은 잭과 반 친구들이 방과 후에 하고 싶은 일에 대해 이야기한 것입니다. 사진을 보고, 주어진 말을 사용하여 다음 문장을 완성하세요.

1

(play chess)
Jack _____ wants to play chess _____.

2

(ride a bike)
Philip _____.

3

(play the violin)
Fiona _____.

4

(go swimming)
Meggie _____.

5

(watch TV)
Alice _____.

6

(play soccer)
David _____.

 · **play chess** 체스를 두다 · **want** 원하다, 바라다 · **ride** 타다 · **go swimming** 수영하러 가다

B 정보 활용하기 수미가 전학 간 학교에 처음 등교하는 날입니다. 친구들에게 자기 소개를 하기 위해서 수미가 쓴 메모를 보고, 다음 문장을 완성하세요.

1)좋아하는 것: 노래하기, 춤추기 ♪

2)싫어하는 것: 치과 가는 것

3)이번 주말에 할 일: 콘서트 가기 ☆

4)장래 희망: 유명한 가수

5)희망 사항: 세계 여행을 하는 것

1 I like _____to sing_____ . (sing)

2 I like _____ too. (dance)

3 I hate _____ . (go to the dentist)

4 I plan _____ this weekend. (go to the concert)

5 My wish is _____ a famous singer. (become)

6 _____ is my dream. (travel around the world)

WORDS · **go to the dentist** 치과에 가다 · **this weekend** 이번 주말 · **travel around the world** 세계를 여행하다

UNIT TEST 05

[1-3] 다음 문장의 빈칸에 알맞은 말을 고르세요.

1

_____ is fun.

❶ Swim　　　　❷ Swims　　　　❸ To swim
❹ Swam　　　　❺ To swims

2

My father's job is _____ in the restaurant.

❶ cook　　　　❷ cooks　　　　❸ cooked
❹ to cook　　　❺ to cooked

3

I like _____ basketball.

❶ play　　　　❷ played　　　　❸ to play
❹ to plays　　❺ to played

[4-5] 다음 문장의 밑줄 친 부분을 바르게 고쳐 쓴 것을 고르세요.

4

My uncle's wish is <u>sells</u> lots of cars.

❶ sell　　　　❷ sold　　　　❸ to sell
❹ to sells　　❺ to sold

5

My father wanted <u>eat</u> some hamburgers.

❶ eats　　　　❷ ate　　　　❸ eated
❹ to eat　　　❺ to eated

[6-7] 다음 우리말 뜻과 같도록 괄호 안에서 알맞은 말을 고르세요.

6

> 칼을 가지고 노는 것은 매우 위험하다.

➡ (Played / To play) with a knife is very dangerous.

7

> 제임스는 과학자가 되기로 결심했다.

➡ James decided to (become / becomes) a scientist.

[8-10] 다음 밑줄 친 우리말을 영어로 바르게 옮긴 것을 고르세요.

8

> 자전거 타기는 is very fun.

❶ Ride a bike   ❷ Rides a bike   ❸ To ride a bike

❹ To rides a bike   ❺ To rode a bike

9

> Her dream is 비행기 조종사가 되는 것.

❶ become a pilot   ❷ becomes a pilot   ❸ to becomes a pilot

❹ to become a pilot   ❺ to became a pilot

10

> My cousin began 줄넘기하기를.

❶ jump rope   ❷ jumped rope   ❸ jumps rope

❹ to jump rope   ❺ to jumped rope

[11-12] 다음 문장의 빈칸에 들어갈 말이 순서대로 바르게 짝지어진 것을 고르세요.

11

> • My father's job is _____ P.E.
> • _____ books is a good habit.

❶ teach – Reads   ❷ teaches – Read   ❸ to teach – Reads

❹ to teach – To read   ❺ taught – To read

12

> • Jane's wish is _____ the contest.
> • He hates _____ in the sea.

❶ win – swim   ❷ wins – swims   ❸ won – swam

❹ to wins – to swims   ❺ to win – to swim

[13-15] 다음 우리말 뜻과 같도록 빈칸에 알맞은 말을 고르세요.

13

> 그는 이번 여름에 자기 삼촌을 찾아뵐 계획이다.
> ➡ He is planning _____ his uncle this summer.

❶ visit   ❷ visits   ❸ visited

❹ to visit   ❺ to visits

14

> 춤을 추는 것은 매우 신 난다.
> ➡ _____ is very exciting.

❶ Dances   ❷ Danced   ❸ To dance

❹ To dances   ❺ To danced

15

내 목표는 한 달에 3킬로그램을 빼는 것이다.

➡ My goal is _____ 3 kg in a month.

❶ lose   ❷ losed   ❸ lost

❹ to lose   ❺ to lost

[16 – 17] 다음 문장의 빈칸에 공통으로 알맞은 말을 고르세요.

16

• Fiona loves _____ watch TV.
• They didn't like _____ climb the mountain.

❶ in   ❷ of   ❸ to

❹ than   ❺ and

17

• My hobby is _____ go hiking.
• His sister's dream is _____ buy a new sofa.

❶ and   ❷ but   ❸ that

❹ this   ❺ to

[18 – 20] 다음 우리말 뜻과 같도록 주어진 말을 사용하여 문장을 완성하세요.

18 해리는 일찍 잠자리에 들고 싶어 하지 않았다. (go)

➡ Harry didn't want _____ _____ to bed early.

19 우리 오빠의 직업은 컴퓨터를 고치는 것이다. (fix)

➡ My brother's job is _____ _____ computers.

20 그의 아들은 그림 그리는 것을 무척 좋아한다. (draw)

➡ His son loves _____ _____ pictures.

[21 - 23] 주어진 말을 바르게 배열하여 문장을 쓰세요.

21 (didn't want / Susan / to / drink juice / .)

➡ _____

수잔은 주스를 마시고 싶어 하지 않았다.

22 (your health / eat too much / to / is bad for / .)

➡ _____

너무 많이 먹는 것은 네 건강에 좋지 않다.

23 (to / sew / is / his hobby / .)

➡ _____

그의 취미는 바느질하기이다.

[24 - 25] 다음 우리말 뜻과 같도록 to부정사와 주어진 말을 사용하여 문장을 쓰세요.

24 케이크를 만드는 것은 쉽지 않다. (make cake, easy)

➡ _____

25 그들의 목표는 그 경기에서 이기는 것이다. (their goal, win the game)

➡ _____

WRAP UP

정답 및 해설 21쪽

1 to부정사란?

「to+¹[＿＿＿＿]」의 형태로 문장에서 ²[＿＿＿＿], 형용사, 부사의 역할을 하는 말이다.

To learn English is very interesting. 〈명사〉

I have a lot of homework **to do**. 〈형용사〉

He went out **to play** soccer. 〈부사〉

2 명사처럼 쓰이는 to부정사

❶ 목적어 역할: '~하기를', '~하는 것을'의 뜻으로 명사처럼 동사 뒤에서 ¹[＿＿＿＿]로 쓰인다.

❷ 주어 역할: '~하기는', '~하는 것은'의 뜻으로 명사처럼 문장에서 ²[＿＿＿＿]로 쓰인다.

❸ 보어 역할: '~하는 것이다'의 뜻으로 명사처럼 be동사 뒤에서 ³[＿＿＿＿]로 쓰인다.

Check Up 그림을 보고, 알맞은 말을 찾아 다음 대화의 빈칸에 쓰세요.

> to catch   to play   to tell

to부정사 (2)

배고프던 차에 TV에서 피자 광고가 나오자 민수가 피자를 시켜 먹자고 한다.

I called **to order** pizza.

나는 전화를 걸었다.
내가 전화를 건 목적?
to order pizza, 피자를 주문하기 위해!

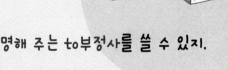

목적을 설명해 주는 to부정사를 쓸 수 있지.

Minsu is happy **to eat** pizza.

민수가 행복해한다.
민수가 행복한 이유?
to eat pizza, 피자를 먹어서!

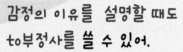

감정의 이유를 설명할 때도
to부정사를 쓸 수 있어.

You live **to eat**.

민수야, 네가 사는 목적을 to부정사를
써서 알려 주마. 너는 먹기 위해서 산다.

01 형용사처럼 쓰이는 to부정사

to부정사는 명사 뒤에서 형용사처럼 명사나 대명사를 꾸며 주는 역할을 하기도 합니다.

A 명사+to부정사

「to+동사원형」은 명사 뒤에서 형용사처럼 '~하는/~해야 할 …'이라는 뜻으로 명사를 꾸며 줍니다.

I have a lot of <u>homework</u> **to do**. 나는 해야 할 숙제가 많다.

Jason needs a <u>book</u> **to read**. 제이슨은 읽을 책 한 권이 필요하다.

She made a <u>promise</u> **to come** again. 그녀는 다시 돌아오겠다는 약속을 했다.

They had lots of <u>milk</u> **to drink**. 그들은 마실 우유가 많이 있었다.

B 「형용사+명사」와 「명사+to부정사」

형용사는 주로 명사 앞에서 명사를 꾸며 주지만, to부정사는 명사 뒤에서 명사를 꾸며 줍니다.

a **beautiful** dress 아름다운 드레스   a dress **to wear** 입을 드레스

a **high** mountain 높은 산   a mountain **to climb** 오를 산

a **wide** river 넓은 강   a river **to cross** 건널 강

Grammar Walk

정답 및 해설 22쪽

A 다음 문장에서 「to+동사원형」을 찾아 동그라미 하고, 「to+동사원형」이 꾸며 주는 명사를 찾아 밑줄을 치세요.

1 Kevin has lots of <u>homework</u> (to finish).

2 I had some cake to give Jim.

3 Sumi needs a friend to help her.

4 I had lots of books to read.

5 Monica has a letter to send him.

6 There are three boxes to move.

모두 to부정사 앞에 명사가 있구나. 이때 to부정사는? 앞에 나온 명사를 꾸며 주는 역할을 하지.

B 다음 문장의 괄호 안에서 알맞은 말을 골라 동그라미 하세요.

1 They wanted some bread (eat / (to eat)).

2 Kelly needed new boots (to wear / wore) in winter.

3 Sam has a plan (to goes / to go) to Italy.

4 Armstrong was the first man (to walk / to walked) on the moon.

5 There are lots of places (to visit / visited) in Seoul.

6 We have a cartoon (watches / to watch) tonight.

문장의 주어와 동사가 있는데 명사 뒤에 또 동사가 나올 수 없어. 그렇다면? 명사 뒤의 동사는 명사를 꾸며 주는 to부정사가 되어야겠구나.

WORDS

· **send** 보내다   · **move** 옮기다   · **plan** 계획   · **place** 장소   · **cartoon** 만화, 만화 영화

02 부사처럼 쓰이는 to부정사

to부정사는 부사처럼 문장에서 동사나 형용사에 어떤 일을 하게 된 목적이나 감정의 원인 등의 의미를 더해 줍니다.

A 감정의 원인을 설명하는 to부정사

to부정사는 감정을 나타내는 형용사 뒤에서 그 감정의 원인을 설명할 때
'~하다니, ~해서'라는 뜻이 됩니다.

I'm <u>glad</u> **to find** the ring. 나는 그 반지를 찾아서 기쁘다.

Gretel was <u>excited</u> **to be** home again. 그레텔은 다시 집으로 와서 신 났다.

Jessica was <u>happy</u> **to finish** the essay. 제시카는 그 과제물을 끝내서 기뻤다.

They were <u>surprised</u> **to learn** the truth. 그들은 사실을 알게 되어 놀랐다.

We were <u>pleased</u> **to get** the letter. 우리는 그 편지를 받아서 기뻤다.

B 목적을 설명하는 to부정사

to부정사가 '~하기 위해'라는 뜻으로 동사의 목적이나 이유를 나타낼 때
부사처럼 앞에 나온 동사를 꾸며 줍니다.

Sue <u>studied</u> hard **to pass** the exam. 수는 그 시험에 통과하기 위해 열심히 공부했다.

I <u>came</u> home early **to take** a rest. 나는 쉬기 위해 집에 일찍 왔다.

Tim <u>went</u> to the library **to return** the book. 팀은 그 책을 반납하기 위해 도서관에 갔다.

She's <u>running</u> **to lose** weight. 그녀는 몸무게를 줄이기 위해 달리고 있다.

They <u>worked</u> hard **to be** rich. 그들은 부자가 되기 위해 열심히 일했다.

They went to the amusement park
to ride a roller coaster.

I am excited
to ride a roller
coaster.

Grammar Walk

정답 및 해설 22쪽

A 다음 문장의 괄호 안에서 알맞은 말을 골라 동그라미 하세요.

1 I was happy ((to find) / found) my puppy.

2 We were angry (to hear / hears) the news.

3 She was surprised (see / to see) Ryu Hyunjin there.

to부정사는 명사 외에도 부사처럼 동사나 형용사를 꾸며 준다는 것 기억하지?

4 Tom is pleased (to win / to won) the game.

5 Jojo is sad (got / to get) a bad score.

6 They were excited (goes / to go) to the beach.

7 Harry was unhappy (fights / to fight) with his best friend.

8 They went to the market (to sell / sold) their vegetables.

감정의 원인을 나타내는 형용사에는 glad, happy, pleased, excited, surprised, sad, angry, upset 등이 있어.

9 Mom came to school (meet / to meet) my teacher.

10 I got up early (catch / to catch) the first train.

11 Cecil took a taxi (to arrive / arrived) there faster.

12 He turned on the computer (sends / to send) e-mail.

13 Giraffes sometimes lie down (slept / to sleep).

14 James joined the club (to make / make) new friends.

15 We bought a bat (plays / to play) baseball.

WORDS · **surprised** 놀란, 놀라는　· **pleased** 기쁜　· **unhappy** 불행한, 슬픈　· **fight** 싸우다　· **lie down** 눕다

Grammar Run! ....

A 다음 우리말 뜻과 같도록 주어진 말을 사용하여 알맞은 말을 빈칸에 쓰세요.

1 보여 줄 그림 몇 개 ➡ some pictures _____to_____ _____show_____ (show)

2 풀어야 할 수수께끼 ➡ a riddle _____ _____ (solve)

3 만날 친구 ➡ a friend _____ _____ (meet)

4 대답해야 할 몇 가지 질문 ➡ a few questions _____ _____ (answer)

5 관람할 그 경기 ➡ the game _____ _____ (watch)

6 해야 할 많은 숙제 ➡ lots of homework _____ _____ (do)

7 파리를 방문할 계획 ➡ a plan _____ Paris (visit)

8 읽을 잡지 ➡ a magazine _____ _____ (read)

9 먹을 약간의 과일 ➡ some fruit _____ _____ (eat)

10 승리한 팀 ➡ the team _____ _____ (win)

11 부자가 될 꿈 ➡ a dream _____ _____ rich (become)

12 쓸 보고서 ➡ a report _____ _____ (write)

13 입을 스웨터 한 벌 ➡ a sweater _____ _____ (wear)

14 마실 물 조금 ➡ a little water _____ _____ (drink)

15 청소할 내 방 ➡ my room _____ _____ (clean)

> to부정사가 앞에 나온 명사를 꾸며 주는 형용사 역할을 하면 '~하는/해야 할'이라는 뜻이 돼.

WORDS · show 보여 주다 · riddle 수수께끼 · solve 해결하다, 풀다 · rich 부유한, 돈 많은 · report 보고, 보고서

B 다음 밑줄 친 부분의 알맞은 우리말 뜻을 골라 동그라미 하세요.

1 She was angry <u>to hear</u> the news.
➡ 그녀는 그 소식을 (듣고 / 듣기 위해) 화가 났다.

2 Leo was happy <u>to pass</u> the exam.
➡ 레오는 그 시험에 (통과하기 위해 / 통과해서) 기뻤다.

3 I'm sad <u>to move</u> to Busan.
➡ 나는 부산으로 (이사를 가기 위해서 / 이사를 가게 되어서) 슬프다.

4 Joe was pleased <u>to see</u> his friend again.
➡ 조는 자기 친구를 다시 (보기 위해 / 보게 되어서) 기뻤다.

감정을 나타내는 형용사 뒤에 to부정사가 오면 '~해서/하다니'의 뜻이 돼.

5 We were upset <u>to lose</u> the game.
➡ 우리는 그 경기에 (져서 / 지기 위해) 속상했다.

6 I am sorry <u>to be late</u>.
➡ 내가 (늦어서 / 늦기 위해) 미안하다.

7 Jun came here <u>to fix</u> my computer.
➡ 준이는 내 컴퓨터를 (고쳐서 / 고치기 위해) 여기에 왔다.

8 He was waiting there <u>to take</u> a bus.
➡ 그는 버스를 (타기 위해 / 타서) 거기에서 기다리고 있었다.

9 They went out <u>to see</u> the stars.
➡ 그들은 별을 (봐서 / 보기 위해) 밖으로 나갔다.

to부정사가 '~하기 위해서'라는 뜻으로 해석되면 to부정사의 부사적 용법 중 목적에 해당하는 거야.

10 She uses the Internet <u>to buy</u> clothes.
➡ 그녀는 옷을 (사서 / 사기 위해) 인터넷을 이용한다.

11 Steve Jobs worked hard <u>to succeed</u>.
➡ 스티브 잡스는 (성공하기 위해 / 성공을 해서) 열심히 일했다.

12 I jumped high <u>to catch</u> the ball.
➡ 나는 그 공을 (잡기 위해 / 잡아서) 높이 점프했다.

WORDS · **pass** 합격[통과]하다 · **exam** 시험 · **upset** 속상한, 마음이 상한 · **lose** 지다, 패하다 · **succeed** 성공하다

Grammar Jump!

A 주어진 말을 사용하여 다음 문장을 완성하세요.

1 They have a lot of plants ___to___ ___water___ . (water)

2 Please give me a cup of tea _____ _____ . (drink)

3 We need some time _____ _____ . (think)

4 He has lots of questions _____ _____ . (answer)

5 I have two science magazines _____ _____ this month. (read)

6 Sally was pleased _____ _____ a new coat. (buy)

7 Peter was happy _____ _____ a present. (get)

8 They were sad _____ _____ their puppy. (lose)

9 Laura was surprised _____ _____ the snake. (see)

10 Grandma is excited _____ _____ to the song. (listen)

11 Jack came back _____ _____ me. (see)

12 Bob went to the library _____ _____ some books. (borrow)

13 I bought some flour _____ _____ cake. (make)

14 She called me _____ _____ my address. (ask)

15 We took the subway _____ _____ on time. (arrive)

> 동사 혼자서는 형용사나 동사를 꾸며 줄 수 없어. 그래서 동사를 부사처럼 쓸 수 있게 동사 앞에 to 를 붙인 거야.

WORDS · think 생각하다　· magazine 잡지　· present 선물　· address 주소　· on time 정각에

B 다음 중 알맞은 말을 찾아 문장을 완성하세요. 필요하면 형태를 바꿔 쓰세요.

hear	wear	fix	take	help	buy
read	lose	see	win	go	live

1 I am looking for pants ____to____ ____wear____ .
나는 입을 바지를 찾고 있다.

2 She has a radio _____ _____ .
그녀는 고쳐야 할 라디오를 가지고 있다.

3 He has lots of friends _____ _____ him.
그는 자기를 도와줄 친구들이 많이 있다.

4 Lucy bought a book _____ _____ on the train.
루시는 기차에서 읽을 책을 샀다.

5 Uncle Joe was pleased _____ _____ his daughter.
조 삼촌은 자신의 딸을 보게 되어 기뻤다.

6 I was surprised _____ _____ the news.
나는 그 소식을 듣고 놀랐다.

7 She was happy _____ _____ the prize.
그녀는 상을 타서 행복했다.

8 Amy was excited _____ _____ on a field trip.
에이미는 현장 학습을 가게 돼서 신이 났다.

9 We went to the market _____ _____ some eggs.
우리는 달걀을 몇 개 사기 위해 시장에 갔다.

10 We eat _____ _____ .
우리는 살기 위해 먹는다.

11 I sat down _____ _____ a rest.
나는 쉬기 위해 앉았다.

12 Emily exercised hard _____ _____ weight.
에밀리는 몸무게를 줄이기 위해 열심히 운동했다.

WORDS · **news** 소식, 뉴스 · **prize** 상 · **field trip** 현장 학습 · **take a rest** 쉬다 · **lose weight** 체중을 줄이다

Grammar Fly! ·

A 우리말 뜻과 같도록 주어진 말을 사용하여 다음 문장을 완성하세요.

1 프레드는 신선한 마실 물이 있었다. (fresh water, drink)
➡ Fred had _____fresh water to drink_____ .

2 수는 보내야 할 이메일이 조금 있다. (some e-mail, send)
➡ Sue has _____ .

3 그것이 오늘 읽을 책이다. (the book, read today)
➡ It is _____ .

4 나는 네게 말할 비밀이 있다. (a secret, tell you)
➡ I have _____ .

5 우리 엄마는 내 성적표를 보시고 속상해하셨다. (upset, see my report card)
➡ My mom was _____ .

6 나는 그 뉴스를 읽고 놀랐다. (surprised, read the news)
➡ I was _____ .

7 그녀는 금메달을 따게 되어 기뻤다. (happy, win a gold medal)
➡ She was _____ .

8 나는 네게 작별 인사를 하게 되어 슬프다. (sad, say good-bye to you)
➡ I am _____ .

9 닉은 음악을 듣기 위해 라디오를 켰다. (turned on the radio, listen to music)
➡ Nick _____ .

10 우리는 좋은 점수를 받기 위해 열심히 공부했다. (studied hard, get a good score)
➡ We _____ .

11 나는 자전거를 타기 위해 공원에 갔다. (went to the park, ride a bike)
➡ I _____ .

12 샘은 우리를 도와주기 위해 여기에 왔다. (came here, help us)
➡ Sam _____ .

WORDS · **secret** 비밀 · **report card** 성적표 · **news** 소식, 뉴스 · **say good-bye** 작별 인사를 하다

B 주어진 말을 바르게 배열하여 문장을 쓰세요.

1 (I / some letters / have / to show you / .) 나는 네게 보여 줄 편지들이 조금 있다.
➡ ___I have some letters to show you.___

2 (they / to ask / had / a lot of questions / .) 그들은 물어볼 질문이 많았다.
➡ _____

3 (Rella / needed / to wear to the party / a dress / .) 렐라는 파티에서 입을 드레스가 필요했다.
➡ _____

4 (Ms. Ha / is / to help poor people / a doctor / .) 하 선생님은 가난한 사람들을 돕는 의사이다.
➡ _____

5 (she / to see that movie / was surprised / .) 그녀는 저 영화를 보고 놀랐다.
➡ _____

6 (I / to leave this town / am sad / .) 나는 이 마을을 떠나게 되어 슬프다.
➡ _____

7 (Mr. Obama / to hear the news / was upset / .) 오바마 씨는 그 소식을 듣고 속상했다.
➡ _____

8 (they / to visit the animal farm / were excited / .) 그들은 동물 농장을 방문하게 되어 신이 났다.
➡ _____

9 (we / to finish the report / met / .) 우리는 그 보고서를 끝마치기 위해 만났다.
➡ _____

10 (James / to take the bus / got up early / .) 제임스는 그 버스를 타기 위해 일찍 일어났다.
➡ _____

11 (Nancy / to have lunch / went to the school cafeteria / .) 낸시는 점심 식사를 하기 위해 학교 식당에 갔다.
➡ _____

12 (my sister / to cheer for me / came / .) 우리 누나가 나를 응원하기 위해 왔다.
➡ _____

WORDS ・**poor** 가난한 ・**upset** 속상한 ・**cafeteria** 구내식당 ・**cheer for** 응원하다

Grammar & Writing

A 정보 활용하기 젠의 친구들이 지난 주말 즐거웠던 일들에 대해 이야기하고 있어요. 사진을 보고 다음 문장을 완성하세요.

1

(have a new robot)

I was happy ___to have a new robot___ .

2

(visit New York)

I was happy _____ .

3

(eat chocolate cake)

I was happy _____ .

4

(win the contest)

I was happy _____ .

5

(go swimming)

I was happy _____ .

6

(ride a roller coaster)

I was happy _____ .

 WORDS · **new** 새, 새것의   · **contest** 대회   · **ride** (놀이 기구 등을) 타다   · **roller coaster** 롤러코스터

B 정보 활용하기 재스민과 소풍을 가기로 한 알라딘이 지니와 함께 필요한 것들을 챙기고 있어요. 주어진 말을 사용하여 알라딘과 지니의 대화를 완성하세요.

Things for a Picnic

1 a cap
2 sweet bread
3 fresh milk
4 beautiful flowers
5 a pretty kite

1 *Genie*: What do you need for a picnic?

   Aladdin: _____ I need a cap to wear. _____ (wear)

2 *Genie*: What do you need for a picnic?

   Aladdin: _____ (eat)

3 *Genie*: What do you need for a picnic?

   Aladdin: _____ (drink)

4 *Genie*: What do you need for a picnic?

   Aladdin: _____ (give Jasmine)

5 *Genie*: What do you need for a picnic?

   Aladdin: _____ (fly with her)

WORDS
· **thing** 물건, 사물, 것 · **picnic** 소풍 · **need** 필요로 하다 · **sweet** 달콤한, 단 · **fresh** 신선한

UNIT TEST 06

[1-3] 다음 우리말 뜻과 같도록 괄호 안에서 알맞은 말을 고르세요.

1

> 나는 네게 말해 줄 이야기가 하나 있다.

➡ I have a story (to tell / told) you.

2

> 그는 꽃을 조금 사기 위해 꽃 가게에 갔다.

➡ He went to the flower shop (buy / to buy) some flowers.

3

> 그 아이는 그 책을 받아서 기뻤다.

➡ The child was happy (to get / gets) the book.

[4-5] 다음 문장의 빈칸에 알맞은 말을 고르세요.

4

> There are lots of pictures _____ in the gallery.

❶ see   ❷ sees   ❸ saw
❹ to sees   ❺ to see

5

> They were excited _____ on a picnic.

❶ go   ❷ goes   ❸ went
❹ to go   ❺ to went

[6-8] 다음 문장의 밑줄 친 부분을 바르게 고쳐 쓴 것을 고르세요.

6

They need some cheese <u>eat</u>.

❶ eats   ❷ ate   ❸ to eat

❹ to eats   ❺ to ate

7

The women were sad <u>heard</u> the news.

❶ hears   ❷ hear   ❸ to hear

❹ to hears   ❺ to heard

8

John opened the window <u>looks</u> outside.

❶ look   ❷ to looked   ❸ looked

❹ to look   ❺ to looks

[9-10] 다음 밑줄 친 우리말을 영어로 바르게 옮긴 것을 고르세요.

9

They had <u>먹이를 줄 말 한 마리</u>.

❶ a horse feed   ❷ a horse feeds   ❸ a horse fed

❹ a horse to feed   ❺ a horse to feeds

10

Laura went out <u>산책을 하기 위해</u>.

❶ take a walk   ❷ takes a walk   ❸ took a walk

❹ to take a walk   ❺ to took a walk

[11-12] 다음 중 밑줄 친 부분이 잘못된 문장을 고르세요.

11 ❶ She was pleased <u>to meet</u> him again.

❷ You have many friends <u>to help</u> you.

❸ I was sad <u>listen</u> to the song.

❹ They studied hard <u>to pass</u> the exam.

❺ Erica has a report <u>to write</u>.

12 ❶ He has a lot of homework <u>to finishes</u>.

❷ Mark ran <u>to catch</u> the train.

❸ Sunny was surprised <u>to see</u> her friend.

❹ We have some questions <u>to ask</u>.

❺ I went to Jim's house <u>to borrow</u> the book.

[13-14] 다음 문장의 빈칸에 들어갈 말이 순서대로 바르게 짝지어진 것을 고르세요.

13
> • Give me water _____ .
> • We took a boat _____ the river.

❶ drink – cross   ❷ drinks – crosses   ❸ drank – to cross

❹ to drink – crossed   ❺ to drink – to cross

14
> • Inho was happy _____ the prize.
> • My sister was sad _____ the game.

❶ win – lose   ❷ wins – loses   ❸ to win – lost

❹ to win – to lose   ❺ to wins – to loses

15 다음 문장에서 **잘못된** 부분을 고르세요.

나는 내 친구들과 저녁을 먹기 위해 그 음식점에 갔다.

➡ I ❶ <u>went</u> to the restaurant ❷ <u>to had</u> dinner ❸ <u>with my friends</u>.

[16 - 17] 다음 우리말 뜻과 같도록 빈칸에 알맞은 말을 고르세요.

16

나는 네게 보여 줄 편지가 있다.

➡ I have some letters _____ you.

❶ show   ❷ shows   ❸ showed

❹ to show   ❺ to showing

17

그는 내일 소풍을 가서 신이 나 있다.

➡ He is excited _____ on a picnic tomorrow.

❶ go   ❷ went   ❸ to go

❹ to goes   ❺ to went

[18 - 20] 다음 우리말 뜻과 같도록 밑줄 친 부분을 바르게 고쳐 쓰세요.

18

그녀는 안 좋은 점수를 받아서 속상했다.

➡ She was uspet <u>got</u> a bad score.

_____

19

에이미는 봄에 입을 재킷 한 벌을 샀다.

➡ Amy bought a jacket <u>wears</u> in spring.

_____

정답 및 해설 24~25쪽

20

> 그들은 사과를 조금 사기 위해 시장에 가는 중이다.
>
> ➡ They are going to the market <u>bought</u> some apples.

_____ _____

[21 - 23] 다음 우리말 뜻과 같도록 주어진 말을 사용하여 문장을 완성하세요.

21 그녀는 새로운 친구를 많이 사귀게 되어 기쁘다. (make)

➡ She is happy _____ _____ lots of friends.

22 나는 해야 할 많은 숙제가 있다. (do)

➡ I have a lot of homework _____ _____ .

23 제임스는 자기 이모를 만나기 위해 뉴욕을 방문했다. (meet)

➡ James visited New York _____ _____ his aunt.

[24 - 25] 주어진 말을 바르게 배열하여 문장을 쓰세요.

24 (to fix / Suho / has / a computer / .)

➡ _____

수호는 수리해야 할 컴퓨터가 한 대 있다.

25 (was surprised / she / to read the news / .)

➡ _____

그녀는 그 뉴스를 읽고 놀랐다.

1 ¹ [   ]처럼 쓰이는 to부정사: 「명사+to부정사」의 형태로 '~하는/~해야 할 …'이라는 뜻이 된다.
to부정사가 앞에 나온 ² [   ]를 꾸며 주는 역할을 한다.

2 부사처럼 쓰이는 to부정사

❶ 감정의 원인: to부정사가 ¹ [   ]을 나타내는 형용사 뒤에서 그 형용사를 꾸며 줄 때는
'~하다니', '~해서'라는 뜻이 된다.

❷ 목적: to부정사가 '~하기 위해'라는 뜻으로 동사의 ² [   ]을 설명할 때는 부사처럼
앞에 나온 동사를 꾸며 준다.

Check Up   그림을 보고, 알맞은 말을 찾아 다음 대화의 빈칸에 쓰세요.

to study   to tell   to hear

REVIEW TEST 03

[1-2] 다음 문장의 빈칸에 알맞은 말을 고르세요.

1

> _____ too much is bad for your health.

❶ Eat ❷ Eats ❸ Ate

❹ To eat ❺ To ate

2

> My hobby is _____ mountains.

❶ climb ❷ climbs ❸ to climb

❹ to climbs ❺ to climbed

[3-4] 다음 우리말 뜻과 같도록 괄호 안에서 알맞은 말을 고르세요.

3

> 나는 MP3 플레이어를 사고 싶다.

➡ I want (buy / to buy) an MP3 player.

4

> 병 안에 마실 물이 거의 없다.

➡ There is little water (to drink / drank) in the bottle.

[5-6] 다음 문장에서 밑줄 친 부분을 바르게 고쳐 쓴 것을 고르세요.

5

> We took the subway <u>arrives</u> on time.

❶ arrived ❷ arrive ❸ to arrive

❹ to arrives ❺ to arrived

6

> They were surprised <u>saw</u> pandas.

❶ see ❷ sees ❸ to saw

❹ to see ❺ to sees

[7-8] 다음 중 밑줄 친 우리말을 영어로 바르게 옮긴 것을 고르세요.

7

> Jia was excited 낚시하러 가서.

❶ go fishing ❷ goes fishing ❸ to go fishing

❹ went fishing ❺ to went fishing

8

> My goal is 상을 받는 것.

❶ win the prize ❷ wins the prize ❸ won the prize

❹ to won the prize ❺ to win the prize

[9-10] 다음 빈칸에 들어갈 말이 순서대로 바르게 짝지어진 것을 고르세요.

9

> • Mary came here _____ her friends.
> • I hope _____ to Europe.

❶ meet – go ❷ meets – go ❸ meet – went

❹ to meet – go ❺ to meet – to go

10

> • Joe was sad _____ his puppy.
> • My dream is _____ a doctor.

❶ lose – became ❷ to lose – to become ❸ to lose – become

❹ lose – to became ❺ to loses – to becomes

[11-12] 다음 우리말을 영어로 바르게 옮긴 것을 고르세요.

11

나는 그 시험에 통과하기 위해 열심히 공부했다.

❶ I studied hard to pass the exam.　　❷ I studied hard pass the exam.

❸ I studied hard passes the exam.　　❹ I studied hard passed the exam.

❺ I studied hard to passed the exam.

12

그녀의 직업은 수학을 가르치는 것이다.

❶ Her job is taught math.　　❷ Her job is to teach math.

❸ Her job is teach math.　　❹ Her job is to teaches math.

❺ Her job is to taught math.

[13-14] 다음 우리말 뜻과 같도록 빈칸에 알맞은 말을 고르세요.

13

사라는 선물을 받아서 기뻤다.

➡ Sarah was pleased _____ a present.

❶ get　　❷ gets　　❸ got

❹ to get　　❺ to gets

14

나는 지하철에서 읽을 신문을 샀다.

➡ I bought a newspaper _____ on the subway.

❶ read　　❷ write　　❸ to read

❹ to write　　❺ to wrote

15 다음 문장의 밑줄 친 부분이 잘못된 것을 고르세요.

❶ To keep a diary isn't easy.　　❷ We need more time to do it.

❸ Ms. Lee was sad to leave Canada.　　❹ Her job is to sold cars.

❺ Judy went to the park to find her cap.

[16-18] 다음 우리말 뜻과 같도록 주어진 말을 사용하여 문장을 쓰세요.

16 우리는 물어볼 질문 세 개가 있다. (have, three questions, ask)

⇨ _____

17 그는 음악을 듣기 위해 라디오를 켰다. (turn on the radio, listen to music)

⇨ _____

18 나는 새 코트를 사서 기쁘다. (be happy, buy a new coat)

⇨ _____

[19-20] 주어진 말을 바르게 배열하여 문장을 쓰세요.

19 (glad / I am / to / help you / .)

⇨ _____

내가 너를 돕게 되어 기쁘다.

20 (dangerous / swim in the sea / to / is / .)

⇨ _____

바다에서 수영을 하는 것은 위험하다.

동명사

여러분은 가족들이 좋아하는
것이 무엇인지 이야기할
수 있나요?

우리 엄마는 책 읽는 것을 좋아하세요.
동사 read에 -ing를 붙여서
동명사 reading, 책 읽는 것.

My mom likes **reading**.

NO

Reading is boring.

내 동생 민수는 drawing,
'그림 그리는 것'을 좋아해요.

난 책 읽는 것을 싫어해요.
'책 읽는 것'은 지루하니까.
아, 이때도 동명사를 써서 말할 수 있어요.

Minsu loves **drawing**.

I like cooking.

그렇다면 나, 민지는?
나는 cooking,
'요리하는 것'을 좋아해요.

요모조모 쓸모가 많은 동명사.
동사원형에 -ing만 붙이면 명사처럼
쓸 수 있어요.

여러분도 가족이 좋아하는
것을 동명사로 말해 봐요.

동명사 **141**

01 주어와 보어로 쓰이는 동명사

동사원형에 -ing를 붙여 동사를 명사처럼 사용하는 것을 동명사라고 합니다.
동명사는 문장에서 명사처럼 주어, 목적어, 보어의 역할을 하며 '~하기', '~하는 것'이라는 뜻으로 해석합니다.

A 동명사의 형태: 동사원형-ing

대부분의 동사는 동사원형 뒤에 -ing를 붙여 동명사를 만듭니다.

대부분의 동사	-e로 끝나는 동사
동사원형 뒤에 -ing	-e 빼고 -ing
-ie로 끝나는 동사	「단모음+단자음」으로 끝나는 동사
-ie를 -y로 바꾸고 -ing	자음 한 번 더 쓰고 -ing

read 읽다 — **read**ing 읽는 것   cook 요리하다 — **cook**ing 요리하는 것
make 만들다 — **mak**ing 만드는 것   ride 타다 — **rid**ing 타는 것
tie 묶다 — **ty**ing 묶는 것   lie 눕다 — **ly**ing 눕는 것
swim 수영하다 — **swimm**ing 수영하는 것   hit 치다 — **hitt**ing 치는 것

B 주어와 보어로 쓰이는 동명사

동명사는 명사처럼 문장에서 주어와 보어로 쓰일 수 있습니다.

Fishing is fun.   낚시하는 것은 재미있다.   〈주어〉
Tying shoes is not easy. 신발을 묶는 것은 쉽지 않다.   〈주어〉
My hobby is **drawing**. 내 취미는 그림 그리기이다.   〈보어〉
His job is **fixing** cars. 그의 일은 자동차를 수리하는 것이다.   〈보어〉

My hobby is **cooking**.
Cooking is fun!

Eating his food is not easy.

Grammar Walk

정답 및 해설 26쪽

A 다음 문장에서 동사를 찾아 밑줄을 치고, 동명사를 찾아 동그라미 하세요.

1 (Cooking) <u>is</u> fun.

2 Diving is difficult.

3 Dancing is exciting.

4 Listening is important.

5 Speaking is easy.

6 Drawing is interesting.

7 Driving a car is easy.

8 Playing computer games is exciting.

9 My hobby is writing stories.

10 His job is taking pictures.

11 Her dream is flying in the sky.

12 Mark's goal is climbing Mt. Everest.

13 Blackie's favorite thing is running.

14 Karl's hobby is baking cookies.

15 Her job is fixing cars.

문장에서 동사를 잘 찾아야 해. 대부분 동사를 중심으로 그 앞은 주어, 그 뒤는 보어나 목적어거든.

동명사는 동사와 명사의 특징을 모두 가지고 있어. 명사처럼 주어, 보어, 목적어의 역할도 하면서 동사처럼 뒤에 목적어나 수식어를 달고 다닐 수 있는 욕심꾸러기지.

WORDS · **dive** 뛰어들다, 다이빙하다 · **hobby** 취미 · **job** 일, 직장 · **dream** 꿈 · **favorite** 매우 좋아하는

02 목적어로 쓰이는 동명사

동명사는 '~하기', '~하는 것'의 뜻으로 문장에서 주어와 보어 역할뿐만 아니라 동사와 전치사의 목적어 역할을 합니다.

A 동사의 목적어로 쓰이는 동명사

동명사는 '~하는 것을', '~하기를'의 뜻으로 동사 뒤에서 동사의 목적어 역할을 하기도 합니다.

I <u>like</u> **fishing**. 나는 낚시하는 것을 좋아한다.

He <u>enjoys</u> **playing** tennis. 그는 테니스 치는 것을 즐긴다.

They <u>stopped</u> **running**. 그들은 달리는 것을 멈추었다.

Kate <u>began</u> **washing** the dishes. 케이트는 설거지를 하기 시작했다.

B 전치사의 목적어로 쓰이는 동명사

동명사는 전치사 뒤에서 전치사의 목적어 역할을 하기도 합니다.
전치사 뒤에 동사가 올 경우에는 반드시 동명사의 형태로 써야 합니다.

She is good <u>at</u> **playing** the piano. 그녀는 피아노를 잘 친다.

They are interested <u>in</u> **climbing** mountains. 그들은 등산에 관심이 있다.

I'm sorry <u>for</u> **being** late. (내가) 늦어서 미안하다.

💡 **자주 쓰는 전치사 표현**

be good at ~을 잘하다   be poor at ~에 서툴다, ~을 못하다

be interested in ~에 관심이 있다   be sorry for ~에 대해 미안해하다

be tired of ~에 싫증을 내다

Snowie enjoys **chewing** Sunny's shoes.

He is good at **swimming**.

Grammar Walk

A 다음 문장에서 동명사를 찾아 동그라미 하세요.

1 Her cat likes (jumping).

2 My sisters love singing.

3 He enjoys dancing.

4 I began listening to music.

5 Julie finished watering the garden.

6 The dogs stopped barking.

7 My father started reading the newspaper.

8 My puppy hates taking a bath.

9 They don't like running.

10 We didn't enjoy watching movies.

11 You are good at skiing.

12 She is interested in writing stories.

13 Her brother was tired of playing chess.

14 I'm poor at skating.

15 He didn't give up making pancakes.

be동사가 아닌 일반동사 뒤에 나오는 동명사는 '~하는 것을', '~하기를'의 뜻으로 동사의 목적어 역할을 해.

동명사 뒤에 나오는 말은 동명사의 목적어이거나 동명사를 꾸며 주는 수식어야.

동명사 **145**

Grammar Run!

A 주어진 동사원형을 동명사로 바꿔 빈칸에 쓰세요.

1 _____going_____ (go)
가는 것/가기

2 _____ (read)
읽는 것/읽기

3 _____ (swim)
수영하는 것/수영하기

4 _____ (fly)
나는 것/날기

5 _____ (make)
만드는 것/만들기

6 _____ (speak)
말하는 것/말하기

7 _____ (dance)
춤추는 것/춤추기

8 _____ (see)
보는 것/보기

9 _____ soccer (play)
축구하는 것/축구하기

10 _____ movies (watch)
영화 보는 것/영화 보기

11 _____ to music (listen)
음악 듣는 것/음악 듣기

12 _____ cookies (bake)
과자를 굽는 것/과자 굽기

13 _____ a letter (write)
편지를 쓰는 것/편지 쓰기

14 _____ the floor (sweep)
바닥을 쓰는 것/바닥 쓸기

15 _____ a bike (ride)
자전거를 타는 것/자전거 타기

16 _____ on ice (run)
얼음 위에서 달리는 것/얼음 위에서 달리기

17 _____ pictures (draw)
그림을 그리는 것/그림 그리기

18 _____ a walk (take)
산책하는 것/산책하기

19 _____ the computer (use)
컴퓨터를 사용하는 것/컴퓨터 사용하기

20 _____ a car (drive)
자동차를 운전하는 것/자동차 운전하기

21 _____ a scarf (tie)
목도리를 매는 것/목도리 매기

22 _____ the ladder (climb)
사다리를 올라가는 것/사다리 올라가기

23 _____ the dishes (wash)
설거지하는 것/설거지하기

24 _____ for treasure (look)
보물을 찾는 것/보물 찾기

25 _____ new books (buy)
새 책을 사는 것/새 책 사기

26 _____ the bucket (carry)
양동이를 나르는 것/양동이 나르기

WORDS   · **sweep** 쓸다, 청소하다   · **tie** 묶다, 매다   · **ladder** 사다리   · **treasure** 보물   · **bucket** 양동이

정답 및 해설 26~27쪽

B 다음 문장의 괄호 안에서 알맞은 말을 골라 동그라미 하세요.

1 (Swim / (Swimming)) is not easy.

2 (Fishing / Fished) is boring.

3 (Play / Playing) soccer is exciting.

4 (Writing / Wrote) is not difficult.

5 Ms. Black's job was (drive / driving) a taxi.

6 My dream is (traveling / traveled) to space.

7 Tabby's hobby is (chase / chasing) mice.

8 His goal is (running / ran) in the marathon.

9 They like (ride / riding) roller coasters.

10 Nami stopped (laughing / laughed).

11 My brother enjoys (fly / flying) a kite.

12 The baby started (crying / cried).

13 The cow gave up (climb / climbing) the stairs.

14 Dolphins are good at (jumping / jumped).

15 She is interested in (danced / dancing).

> travel은 동명사로 traveling
> 또는 travelling, 둘 다 가능해.
> 과거형도 traveled나 travelled
> 로 쓸 수 있어.

 WORDS · **travel** 여행하다 · **space** 우주 · **chase** 뒤쫓다 · **marathon** 마라톤 · **laugh** 웃다

동명사 **147**

Grammar Jump!

A 다음 문장에서 밑줄 친 부분의 우리말 뜻을 빈칸에 쓰세요.

1 <u>Swimming</u> is good for your health.
   ➡ _____수영하는 것_____ 은 네 건강에 좋다.

2 <u>Running on ice</u> is dangerous.
   ➡ _____은 위험하다.

3 <u>Playing computer games</u> is exciting.
   ➡ _____은 흥미진진하다.

4 Her hobby is <u>making paper dolls</u>.
   ➡ 그녀의 취미는 _____이다.

5 My father's job is <u>helping sick people</u>.
   ➡ 우리 아버지의 일은 _____이다.

6 My goal is <u>reading 1,000 books</u>.
   ➡ 내 목표는 _____이다.

7 My grandma enjoyed <u>drawing pictures</u>.
   ➡ 우리 할머니는 _____을 즐기셨다.

8 Tom finished <u>painting the wall</u>.
   ➡ 톰은 _____을 끝마쳤다.

9 Jumbo likes <u>dancing</u>.
   ➡ 점보는 _____을 좋아한다.

10 I was tired of <u>reading this book</u>.
   ➡ 나는 _____에 싫증이 났다.

11 We are good at <u>singing English songs</u>.
   ➡ 우리는 _____을 잘한다.

12 They are interested in <u>fishing in the sea</u>.
   ➡ 그들은 _____에 관심이 있다.

> 동명사는 동사를 명사처럼 쓸 수 있게 만든 말이야. '~하다'라는 뜻의 동사에 -ing를 붙여 '~하는 것', '~하기'라는 뜻으로 명사처럼 쓸 수 있게 하는 거지.

WORDS · **be good for** ~에 좋다 · **health** 건강 · **ice** 얼음 · **dangerous** 위험한 · **paper doll** 종이 인형

B 주어진 말을 사용하여 다음 문장을 완성하세요.

1   _____Teasing_____ your sister is not good. (tease)

2   _____ the guitar is boring. (practice)

3   _____ new songs is fun. (learn)

4   _____ a car is not difficult. (drive)

5   My sister's hobby is _____ dolls. (collect)

6   Her dream is _____ a vet. (become)

7   Coco's favorite thing is _____ Dad's shoes. (chew)

8   His job is _____ houses. (build)

9   Rosa finished _____ her homework. (do)

10 Dad began _____ the dishes. (wash)

11 The dogs stopped _____. (bark)

12 Henry likes _____. (skate)

13 I enjoyed _____. (sing)

14 We were sorry for _____ late. (be)

15 Pluto was interested in _____ butterflies. (chase)

동사 앞에는 주어가 와야 하고 주어 역할을 할 수 있는 것은 명사야. 그러니까 동사원형에 -ing를 붙여 동명사를 만들어야겠다.

동사 뒤에는 보어나 목적어가 오니까 빈칸에 보어나 목적어 역할을 할 수 있는 동명사를 써야겠다.

WORDS · **tease** 놀리다, 장난하다 · **guitar** 기타 · **boring** 지루한 · **vet** 수의사 · **bark** 짖다

Grammar Fly! · · · · · · · · · · · · · · · ·

A 주어진 말을 사용하여 다음 문장을 완성하세요.

1 ___Building a sandcastle___ is not easy. (build a sandcastle)
   모래성을 쌓는 것은 쉽지 않다.

2 _____ is not fun. (watch TV)
   TV를 보는 것은 재미있지 않다.

3 _____ is dangerous. (play on the street)
   길에서 노는 것은 위험하다.

4 My dream is _____. (meet Ryu Hyunjin)
   내 꿈은 류현진을 만나는 것이다.

5 My aunt's job is _____. (take care of flowers)
   우리 이모의 일은 꽃을 돌보는 것이다.

6 Arthur's hobby is _____. (draw cartoons)
   아서의 취미는 만화를 그리는 것이다.

7 My puppy likes _____. (listen to music)
   우리 강아지는 음악 듣는 것을 좋아한다.

8 He enjoys _____. (play baseball)
   그는 야구하는 것을 즐긴다.

9 They stopped _____. (feed the horses)
   그들은 그 말들에게 먹이 주는 것을 멈추었다.

10 She hates _____. (clean the bathroom)
   그녀는 욕실을 청소하는 것을 몹시 싫어한다.

11 The calf is good at _____. (jump over the fence)
   그 송아지는 울타리를 잘 뛰어넘는다.

12 My mom is poor at _____. (cook)
   우리 엄마는 요리를 잘 못하신다.

WORDS · sandcastle 모래성 · cartoon 만화, 만화 영화 · bathroom 욕실 · jump over 뛰어넘다 · fence 울타리

B 주어진 말을 바르게 배열하여 문장을 쓰세요.

1 (fun / fishing / is / .) 낚시하는 것은 재미있다.
➡ _____ Fishing is fun. _____

2 (is good for / exercising regularly / our health / .) 규칙적으로 운동하는 것이 우리 건강에 좋다.
➡ _____

3 (a good habit / is / reading books every day / .) 매일 책을 읽는 것은 좋은 습관이다.
➡ _____

4 (is / my hobby / listening to music / .) 내 취미는 음악을 듣는 것이다.
➡ _____

5 (her dream / traveling around the world / is / .) 그녀의 꿈은 세계를 여행하는 것이다.
➡ _____

6 (taking care of animals / is / his job / .) 그의 일은 동물들을 돌보는 것이다.
➡ _____

7 (climbing trees / likes / my cat / .) 우리 고양이는 나무에 올라가는 것을 좋아한다.
➡ _____

8 (his grandmother / knitting / enjoys / .) 그의 할머니는 뜨개질하는 것을 즐기신다.
➡ _____

9 (teasing his brother / Jack / stopped / .) 잭은 자기 남동생을 놀리는 것을 그만두었다.
➡ _____

10 (started / they / laughing / .) 그들은 웃기 시작했다.
➡ _____

11 (playing the cello / she / is good at / .) 그녀는 첼로를 잘 켠다.
➡ _____

12 (Max / dancing / is interested in / .) 맥스는 춤추는 것에 관심이 있다.
➡ _____

WORDS · **fun** 재미있는 · **regularly** 규칙적으로 · **habit** 습관 · **travel around the world** 세계를 여행하다 · **stop** 멈추다, 그만하다

Grammar & Writing

A 정보 활용하기 다음은 사람들의 직업에 대해 이야기한 것입니다. 사진을 보고, 주어진 말을 사용하여 다음 문장을 완성하세요.

1
(cook)

His job is _____cooking_____.

He is a cook.

2
(drive a bus)

His job is _____.

He is a bus driver.

3
(dance)

His job is _____.

He is a dancer.

4
(teach)

Her job is _____.

She is a teacher.

5
(take care of animals)

His job is _____.

He is a vet.

6
(write stories)

Her job is _____.

She is a writer.

B 표 해석하기 다음은 샘이 친구들의 취미 생활을 조사한 표입니다. 표의 내용에 맞게 enjoy와 주어진 말을 사용하여 문장을 쓰세요.

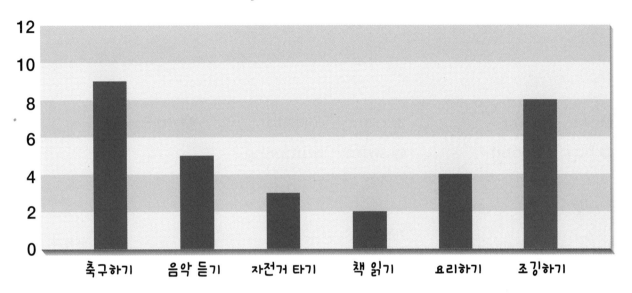

My Friends' Hobbies

1   Nine children enjoy playing soccer.   (play soccer)

2   _____   (listen to music)

3   _____   (ride a bike)

4   _____   (read a book)

5   _____   (cook)

6   _____   (jog)

WORDS · **hobby** 취미   · **enjoy** 즐기다   · **ride a bike** 자전거를 타다   · **jog** 조깅하다

UNIT TEST 07

[1 - 2] 다음 중 동사원형과 동명사가 <u>잘못</u> 짝지어진 것을 고르세요.

1 ❶ tie – tieing   ❷ make – making   ❸ run – running

     ❹ read – reading   ❺ study – studying

2 ❶ ski – skying   ❷ come – coming   ❸ go – going

     ❹ buy – buying   ❺ swim – swimming

[3 - 5] 다음 문장의 빈칸에 알맞은 말을 고르세요.

3

_____ is important.

❶ Listen   ❷ Listens   ❸ Listened

❹ Listening   ❺ Listenning

4

My hobby is _____.

❶ to drawing   ❷ draws   ❸ drew

❹ to drew   ❺ drawing

5

He likes _____ stamps.

❶ collect   ❷ collects   ❸ to collected

❹ collecting   ❺ to collecting

[6-8] 다음 문장에서 밑줄 친 부분을 바르게 고쳐 쓴 것을 고르세요.

6

Drive a car is not easy.

❶ Driving   ❷ Drives   ❸ Being driving

❹ Drove   ❺ To driving

7

Her dream is fly in the sky.

❶ flies   ❷ flying   ❸ flied

❹ flew   ❺ to flying

8

They stopped run.

❶ run   ❷ runed   ❸ running

❹ ran   ❺ runing

[9-11] 다음 밑줄 친 우리말을 영어로 바르게 옮긴 것을 고르세요.

9

스케이트 타기는 is fun.

❶ Skate   ❷ Skates   ❸ Skated

❹ Skating   ❺ Skateing

10

His job is 동물들을 돌보는 것.

❶ take care of animals   ❷ took care of animals

❸ taked care of animals   ❹ to taking care of animals

❺ taking care of animals

11

> He enjoys 테니스 치는 것을.

❶ play tennis ❷ played tennis

❸ playing tennis ❹ is playing tennis

❺ at playing tennis

12 다음 우리말과 영어가 잘못 짝지어진 것을 고르세요.

❶ TV 시청하기 – watching TV

❷ 바닥 쓸기 – sweeping the floor

❸ 방 청소하기 – cleaning the room

❹ 음악 듣기 – listening to music

❺ 얼음 위에서 달리기 – run on ice

13 다음 중 밑줄 친 부분이 잘못된 문장을 고르세요.

❶ Diving is not difficult.

❷ Mark's goal is climb Mt. Everest.

❸ Fang doesn't like taking a bath.

❹ You are good at skating.

❺ Julie finished cleaning her room.

[14-15] 다음 문장의 빈칸에 들어갈 말이 순서대로 바르게 짝지어진 것을 고르세요.

14

> • _____ is not easy.
> • We were _____ along the river then.

❶ Swim – run ❷ Swim – running ❸ Swimming – run

❹ Swimming – running ❺ Swam – Ran

15

> • Her job is _____ cars.
> • He is interested in _____.

❶ fix – dance   ❷ fixing – dancing   ❸ fixing – danced

❹ fix – dancing   ❺ fixed – danced

[16 – 17] 다음 우리말 뜻과 같도록 괄호 안에서 알맞은 말을 고르세요.

16

> 밤에 너무 많이 먹는 것은 네 건강에 나쁘다.

➡ (Eating / Eat) too much at night is bad for your health.

17

> 헬렌은 뜨개질을 못한다.

➡ Helen is poor at (knitted / knitting).

[18 – 20] 다음 우리말 뜻과 같도록 주어진 말을 사용하여 문장을 완성하세요.

18 내 사촌은 그림 그리기에 관심이 있다. (draw)
➡ My cousin is interested in _____.

19 해리는 유리창을 깨뜨린 것에 대해 미안해했다. (break)
➡ Harry was sorry for _____ the window.

20 그 아이는 숨바꼭질하는 것에 싫증을 냈다. (play)
➡ The kid was tired of _____ hide-and-seek.

정답 및 해설 28~29쪽

[21 - 23] 다음 우리말 뜻과 같도록 빈칸에 알맞은 말을 쓰세요.

21 내 취미는 스키 타기이다.

➡ My hobby is _____.

22 편지 쓰기는 어렵지 않다.

➡ _____ a letter is not difficult.

23 수지는 책 읽는 것을 좋아한다.

➡ Susie likes _____ books.

[24 - 25] 다음 밑줄 친 부분을 바르게 고쳐 문장을 다시 쓰세요.

24
| The babies stopped <u>cry</u>. |

➡ _____

25
| He is good at <u>plays</u> the piano. |

➡ _____

1 동명사란?: 동명사는 동사원형에 -ing를 붙여 동사를 명사처럼 사용하는 것이다.

대부분의 동사	-e로 끝나는 동사
동사원형 뒤에 1[ ]	-e 빼고 2[ ]
-ie로 끝나는 동사	**「단모음+단자음」으로 끝나는 동사**
-ie를 3[ ]로 바꾸고 4[ ]	자음 한 번 더 쓰고 5[ ]

2 동명사의 역할

❶ 명사 역할: '~하는 것', '~하기'의 뜻으로 문장에서 1[ ], 2[ ], 동사나 전치사의
   3[ ]로 쓰인다.

❷ 동사처럼 동명사 뒤에 목적어나 부사가 올 수 있다.

Check Up   그림을 보고, 주어진 말을 사용하여 다음 대화를 완성하세요.

fish

동명사와 to부정사

오늘은 쿠키를 만들어 보려고 해요.

I start to make cookies.

쿠키 만들기를 시작해요.
start는 뒤에 to부정사, 동명사
모두 쓸 수 있는 동사예요.

I enjoy eating sweets.

나는 평소 단것을 즐겨 먹어요.
enjoy는 동명사만 좋아해서 뒤에
동명사만 쓰는 동사고요.

I want to become a cook.

나는 커서 요리사가 되고 싶어요.
want는 to부정사만 좋아해서 뒤에
to부정사만 쓰는 동사랍니다.

I finished cooking.

쿠키 만들기가 끝났어요.

이렇게 다양한 모양의 쿠키처럼
to부정사만 좋아하는 동사, 동명사만
좋아하는 동사, 둘 다 좋아하는 동사가 달라요.
다양한 건 쿠키와 꼭 닮았네요.

동명사와 to부정사 **161**

01 동명사와 to부정사

동사의 목적어로 동사를 쓸 때, 목적어가 되는 동사는 동명사나 to부정사의 형태로 쓸 수 있습니다.

A 동명사가 목적어가 되는 경우

enjoy(즐기다), finish(끝마치다), give up(포기하다), keep(계속하다), mind(상관하다), stop(멈추다), practice(연습하다) 등의 동사 뒤에는 목적어로 동명사가 옵니다.

I **enjoyed reading** English books. 나는 영어 책 읽는 것을 즐겼다.
Bill **finished mopping** the floor. 빌은 바닥을 대걸레질하는 것을 끝마쳤다.
He **gave up making** chocolate. 그는 초콜릿을 만드는 것을 포기했다.

B to부정사가 목적어가 되는 경우

want(원하다), wish(바라다), hope(희망하다), expect(기대하다), choose(선택하다), agree(동의하다), decide(결정하다), plan(계획하다), promise(약속하다) 등의 동사 뒤에는 목적어로 to부정사가 옵니다.

We **want to see** you again. 우리는 너를 다시 보기를 원한다.
Janet **decided to raise** the dog. 재닛은 그 개를 키우기로 결정했다.
He **hopes to go** to Belgium next year. 그는 내년에 벨기에에 가기를 바란다.

C 둘 다 목적어가 되는 경우

begin(시작하다), start(시작하다), like(좋아하다), love(매우 좋아하다), hate(매우 싫어하다), continue(계속하다) 등의 동사 뒤에는 동명사와 to부정사 모두 목적어로 올 수 있습니다.

They **love going[to go]** to parties. 그들은 파티에 가는 것을 매우 좋아한다.
It **began raining[to rain]** heavily. 비가 세차게 내리기 시작했다.
She **hates going[to go]** to the hairdresser's. 그녀는 미용실에 가는 것을 매우 싫어한다.

Sunny **enjoys singing** loudly.

I hate to listen to her song.

Grammar Walk

A 다음 문장의 괄호 안에서 알맞은 말을 골라 동그라미 하세요.

1 My mom and I enjoy (to jog / (jogging)) in the park.

2 Sonya gave up (reading / to read) the science books.

3 Do you mind (opening / to open) the window?

4 I hope (to travel / traveling) to the moon.

5 Danny plans (to visit / visiting) his grandfather in L.A.

6 My parents promised (to buy / buying) me the coat.

상대방에게 허락을 구하거나 정중하게 부탁할 때 의문문에서 mind를 쓸 수 있어. Do you mind ~?라고 하면 '~해 줄래(요)?'라는 의미야.

B 다음 두 문장의 의미가 같도록 빈칸에 알맞은 말을 쓰세요.

1 We continued sweeping the floor.
 ➡ We continued _____to_____ _____sweep_____ the floor.

2 Brent hates going to the dentist.
 ➡ Brent hates _____ _____ to the dentist.

3 The baby started talking.
 ➡ The baby started _____ _____ .

4 They began learning Japanese two years ago.
 ➡ They began _____ _____ Japanese two years ago.

5 Matthew loves exercising.
 ➡ Matthew loves _____ _____ .

begin, start, like, love, hate, continue 같은 동사의 목적어로 쓰인 동명사는 to부정사로 바꿔 써도 그 의미가 같아.

02 동명사와 to부정사의 여러 가지 표현

A go ~ing / be busy ~ing / feel like ~ing

go ~ing	be busy ~ing	feel like ~ing
~하러 가다	~하느라 바쁘다	~하고 싶다

Sarah usually **goes hiking** on Saturdays. 사라는 보통 토요일마다 하이킹하러 간다.

Dad **was busy writing** letters. 아빠는 편지를 쓰시느라 바쁘셨다.

Lucy **felt like drinking** some water. 루시는 물을 좀 마시고 싶었다.

B 의문사+to부정사

의문사 뒤에 to부정사를 써서 '무엇을[어떻게/언제/어디서] ~할지'의 뜻을 나타내기도 합니다.
주로 know(알다), think(생각하다), show(보여 주다), ask(묻다), decide(결심하다), tell(말하다),
teach(가르치다), learn(배우다) 등의 동사와 함께 쓰입니다.

what+to부정사	how+to부정사
무엇을 ~할지	어떻게 ~할지 / ~하는 방법
when+to부정사	**where+to부정사**
언제 ~할지	어디서[어디로] ~할지

I don't know **what to do**. 나는 무엇을 해야 할지 모르겠다.

She didn't know **how to drive**. 그녀는 운전하는 법을 몰랐다.

Tell me **when to start**. 언제 시작할지 내게 말해 줘라.

Jack and Jim knew **where to go**. 잭과 짐은 어디로 갈지 알았다.

Zack **is busy choosing** a costume.

I know **what to wear**.

Grammar Walk

정답 및 해설 30쪽

A 다음 말의 우리말 뜻을 찾아 선으로 연결하세요.

1 go camping   **a.** 수영하고 싶다

2 feel like swimming   **b.** 스키 타러 가다

3 be busy doing homework   **c.** 숙제하느라 바쁘다

4 go skiing   **d.** 캠핑하러 가다

5 feel like drinking some juice   **e.** 쇼핑하러 가다

6 go shopping   **f.** 주스를 좀 마시고 싶다

B 다음 우리말 뜻과 같도록 빈칸에 알맞은 말을 쓰세요.

1 스케이트 타는 법   ➡   _____how_____ to skate

2 어디서 잘지   ➡   _____ to sleep

3 무엇을 읽을지   ➡   _____ to read

4 언제 도착할지   ➡   _____ to arrive

5 어디로 갈지   ➡   _____ to go

6 이 기계를 사용하는 법   ➡   _____ to use this machine

> when, where, what, how 등의 의문사 뒤에는 to 부정사를 쓸 수 있어.

WORDS   • **arrive** 도착하다   • **use** 사용하다   • **machine** 기계

Grammar Run!

A 주어진 말을 사용하여 다음 문장을 완성하세요.

1 My uncle gave up ___riding___ his motorbike. (ride)

2 His son finished _____ the roof. (fix)

3 Ms. Lawrence kept _____. (cry)

4 I don't mind _____ out for dinner. (eat)

5 They enjoy _____ soccer. (play)

6 Harriet promised _____ _____ us the secret. (tell)

7 I want _____ _____ Oliver again. (meet)

8 We expect _____ _____ the next game. (win)

9 My family is planning _____ _____ New York. (visit)

10 Jenny hoped _____ _____ a police officer. (become)

11 Does he like _____ sports? (watch)

12 I started _____ this book. (read)

13 They will continue _____ _____ e-mail to him. (send)

14 She will start _____ _____ violin lessons again. (take)

15 Simon really hates _____ _____ to bed early. (go)

> 목적어로 to부정사와 동명사가 모두 올 수 있는 동사는 어떻게 하지? 아, 빈칸이 두 개면 to부정사를, 한 개면 동명사를 쓰면 되겠구나.

WORDS · motorbike 오토바이   · keep 계속하다   · eat out 외식하다   · secret 비밀   · expect 기대하다, 바라다

B 다음 문장의 괄호 안에서 알맞은 말을 골라 동그라미 하세요.

1 I feel like ((staying) / to stay) at home today.

2 Her daughter likes to go (to ski / skiing).

3 My grandpa is busy (answering / answer) the phone.

4 I don't feel like (have / having) dinner.

5 They were busy (practicing / to practice) for the concert.

6 She felt like (to watch / watching) the movie.

-e로 끝나는 동사는 -e를 빼고 -ing를 붙인다는 점에 주의하도록 해.

7 Can you go (hiking / to hike) this Saturday?

8 My brother decided what (to choose / chose).

9 Charlie often forgets when (said / to say) "please".

10 He taught me how (to sing / singing) the song.

11 I didn't know what (to cook / cooking) for the party.

12 Do you know (how / what) to fix the bike?

13 He knew (where / what) to get off the bus.

14 Tell me (what / when) to turn on the light.

 · **stay** 계속 있다, 머무르다   · **answer the phone** 전화를 받다   · **choose** 고르다   · **get off** (탈것에서) 내리다

Grammar Jump!

A 다음 문장에서 밑줄 친 부분의 우리말 뜻을 빈칸에 쓰세요.

1 Did your mom finish <u>washing her car</u>?
➡ 너희 엄마는 ___세차하는 것을___ 끝마치셨니?

2 She enjoys <u>playing soccer</u>.
➡ 그녀는 _____ 즐긴다.

3 Paul gave up <u>drinking</u> coffee.
➡ 폴은 커피를 _____ 그만두었다.

4 We decided to <u>go on a picnic</u> this Friday.
➡ 우리는 이번 금요일에 _____ 결정했다.

5 Jack chose <u>to invite</u> Sally to his birthday party.
➡ 잭은 자기 생일 파티에 샐리를 _____ 했다.

6 Do you like <u>to dance</u>?
➡ 너는 _____ 좋아하니?

7 The tall man started <u>whistling</u>.
➡ 그 키가 큰 남자는 _____ 시작했다.

8 Jessica was busy <u>helping</u> her mother.
➡ 제시카는 자기 어머니를 _____ 바빴다.

9 I feel like <u>taking a walk</u>.
➡ 나는 _____ 싶다.

10 They sometimes go <u>swimming</u> after school.
➡ 그들은 가끔 방과 후에 _____ 간다.

11 They can't decide <u>what to buy</u>.
➡ 그들은 _____ 결정할 수 없다.

12 I don't know <u>where to sit</u>.
➡ 나는 _____ 모른다.

13 This clock will show you <u>when to wake up</u>.
➡ 이 시계는 네게 _____ 알려 줄 것이다.

14 He taught his son <u>how to hunt</u>.
➡ 그는 자기 아들에게 _____ 을 가르쳐 주었다.

목적어로 쓰이는 동명사와 to부정사는 '~하기를/하는 것을'이라고 해석하면 돼.

「의문사+to부정사」는 무엇을 [언제/어떻게/어디서] ~할지'라는 뜻이야.

WORDS · **invite** 초대하다 · **whistle** 휘파람을 불다 · **take a walk** 산책하다 · **show** 알려 주다, 보여 주다 · **hunt** 사냥하다

B 다음 중 알맞은 말을 찾아 문장을 완성하세요. 필요하면 형태를 바꿔 쓰세요.

hide	read	cook	exercise	shop	solve	prepare
play	stay	take	laugh	knit	say	

1 The boy kept ___reading___ the storybook.
그 남자아이는 계속 그 동화책을 읽었다.

2 Mary gave up _____ at the park.
메리는 공원에서 운동하는 것을 그만두었다.

3 We chose _____ _____ at the hotel.
우리는 그 호텔에 머물기로 했다.

4 I hate _____ _____ medicine.
나는 약 먹는 것을 무척 싫어한다.

5 They began _____ loudly.
그들은 큰 소리로 웃기 시작했다.

6 Joe felt like _____ tennis.
조는 테니스를 치고 싶었다.

7 Ms. Benson is busy _____ the scarf.
벤슨 씨는 목도리를 뜨느라 바쁘다.

8 Let's go _____ tomorrow.
내일 쇼핑하러 가자.

9 My dad will be busy _____ breakfast on Sunday.
우리 아빠는 일요일에 아침 식사를 준비하느라 바쁘실 것이다.

10 The recipe shows how _____ _____ *bulgogi*.
그 조리법은 불고기를 요리하는 법을 알려 준다.

11 They have to decide where _____ _____.
그들은 어디에 숨을지 결정해야 한다.

12 We don't know what _____ _____.
우리는 무엇을 말해야 할지 모른다.

13 He taught us how _____ _____ the problem.
그는 우리에게 그 문제를 푸는 방법을 가르쳐 주었다.

WORDS
· **hide** 숨다, 숨기다　　· **take medicine** 약을 먹다　　· **prepare** 준비하다　　· **recipe** 조리법

Grammar Fly! ·

A 주어진 말을 사용하여 다음 문장을 완성하세요. 동사의 시제에 유의하세요.

1 The soccer team <u>practiced</u> <u>running</u> for two hours. (practice, run)
그 축구 팀은 두 시간 동안 달리기를 연습했다.

2 He _____ _____ in line. (stop, cut)
그는 새치기하는 것을 그만두었다.

3 I don't _____ _____ off the TV. (mind, turn)
나는 TV를 꺼도 신경쓰지 않는다.

4 We _____ _____ _____ the full moon tonight. (hope, see)
우리는 오늘 밤 보름달을 보기를 바란다.

5 They _____ _____ _____ more money. (plan, save)
그들은 더 많은 돈을 저축할 계획이다.

6 The puppies _____ _____ loudly. (begin, bark)
그 강아지들은 큰 소리로 짖기 시작했다.

7 He _____ _____ the mountain. (continue, climb)
그는 계속 산을 올라갔다.

8 I don't _____ _____ _____ a snowman. (feel like, make)
나는 눈사람을 만들고 싶지 않다.

9 Her hobby is _____ _____ . (go, skate)
그녀의 취미는 스케이트를 타러 가는 것이다.

10 Cindy _____ _____ _____ the horses. (be busy, feed)
신디는 말들에게 먹이를 주느라 바빴다.

11 I couldn't decide _____ _____ _____ . (what, buy)
나는 무엇을 살지 결정할 수 없었다.

12 I don't know _____ _____ _____ the key. (where, put)
나는 그 열쇠를 어디에 두어야 할지 모른다.

13 Please tell me _____ _____ _____ to the bus stop. (how, get)
내게 버스 정류장에 가는 법을 알려 주세요.

14 Tell me _____ _____ _____ . (when, stop)
내게 언제 멈추어야 할지 말해 줘라.

WORDS · **cut in line** 새치기하다 · **full moon** 보름달 · **save** 모으다, 저축하다 · **bark** 짖다 · **get** (장소에) 도착하다

B 주어진 말을 바르게 배열하여 문장을 쓰세요.

1 (cleaning the house / he / finished / .) 그는 집을 청소하는 것을 끝마쳤다.

➡️ _____He finished cleaning the house._____

2 (standing / stopped / we / in the sun / .) 우리는 햇빛 아래 서 있는 것을 멈추었다.

➡️ _____

3 (Jason / to / wants / have a toy plane / .) 제이슨은 장난감 비행기를 가지고 싶어 한다.

➡️ _____

4 (jumping rope / my sister / likes / .) 내 여동생은 줄넘기하는 것을 좋아한다.

➡️ _____

5 (sailing / they / continued / .) 그들은 항해를 계속했다.

➡️ _____

6 (felt like / Minsu / reading comic books / .) 민수는 만화책을 읽고 싶었다.

➡️ _____

7 (went / we / fishing / after lunch / .) 우리는 점심 식사 후에 낚시하러 갔다.

➡️ _____

8 (is busy / she / preparing breakfast / .) 그녀는 아침 식사를 준비하느라 바쁘다.

➡️ _____

9 (to do / we / asked him / what / .) 우리는 그에게 무엇을 할지 물었다.

➡️ _____

10 (when / tell me / to begin / .) 내게 언제 시작할지 말해 줘라.

➡️ _____

11 (how / you / should learn / use a computer / to / .) 너는 컴퓨터를 사용하는 법을 배우는 것이 좋겠다.

➡️ _____

12 (I / don't know / to park / where / .) 나는 어디에 주차해야 할지 모른다.

➡️ _____

WORDS   · **stand** 서다, 서 있다   · **sail** 항해하다   · **ask** 물어보다   · **park** 주차하다

Grammar & Writing

A 정보 활용하기 다음 주에 런던으로 떠나는 수진이가 여행 계획을 세우고 있어요. 사진을 보고, 주어진 말을 사용하여 다음 문장을 완성하세요.

1
(want, ride)
I ___want___ ___to___ ___ride___ the London Eye.

2
(hope, see)
I _____ _____ _____ the Horse Guards Parade.

3
(plan, visit)
I _____ _____ _____ Westminster Abbey.

4
(expect, take)
I _____ _____ _____ a double-decker bus.

5
(want, walk)
I _____ _____ _____ on the Tower Bridge.

6
(plan, take)
I _____ _____ _____ pictures in front of the British Museum.

 WORDS · **Westminster Abbey** 웨스트민스터 사원　· **double-decker bus** 이층 버스　· **British Museum** 대영 박물관

B 그림 묘사하기 에이미와 친구들이 잭슨 씨의 농장에서 일을 돕고 있어요. 그림을 보면서 문장을 완성하세요.

1 Amy ____is busy feeding chickens____ . (feed chickens)

2 Tom _____ . (fix the fence)

3 James _____ . (paint the wall)

4 Susan _____ . (milk a cow)

5 Jack _____ . (wash a horse)

6 Brian _____ . (water cabbages)

 · **fence** 울타리　　· **paint** 페인트칠하다　　· **milk** (소 등의) 우유를 짜다　　· **cow** 젖소　　· **cabbage** 양배추

동명사와 to부정사 **173**

UNIT TEST 08

[1-3] 다음 문장의 빈칸에 알맞은 말을 고르세요.

1

Stacy wants _____ to New York this summer.

❶ travel   ❷ travels   ❸ to travel
❹ traveling   ❺ to traveling

2

I enjoy _____ birds in the trees.

❶ watch   ❷ watches   ❸ to watch
❹ watching   ❺ to watching

3

Sally felt like _____ a roller coaster.

❶ ride   ❷ rides   ❸ rode
❹ riding   ❺ to ride

[4-5] 다음 우리말 뜻과 같도록 괄호 안에서 알맞은 말을 고르세요.

4

그녀는 내게 그 수학 문제 푸는 법을 가르쳐 주었다.

➡ She taught me how (to solve / solving) the math problem.

5

우리 아버지와 나는 어제 하이킹하러 갔다.

➡ My father and I went (hiking / to hike) yesterday.

[6-7] 다음 문장의 밑줄 친 부분과 바꿔 쓸 수 있는 것을 고르세요.

6

> The girls began <u>to cry</u> sadly.

❶ cry ❷ cries ❸ cried

❹ crying ❺ to crying

7

> My grandparents love <u>playing</u> badminton.

❶ play ❷ plays ❸ played

❹ to playing ❺ to play

[8-10] 다음 문장의 밑줄 친 부분을 바르게 고쳐 쓴 것을 고르세요.

8

> Jim was busy <u>to catch</u> dragonflies.

❶ catches ❷ caught ❸ catching

❹ to catches ❺ to catching

9

> Did you finish <u>to wash</u> the dishes?

❶ wash ❷ washes ❸ washed

❹ washing ❺ to washing

10

> The artist is planning <u>drawing</u> the mountain.

❶ draw ❷ draws ❸ to draw

❹ to draws ❺ to drawing

[11 - 13] 다음 밑줄 친 우리말을 영어로 바르게 옮긴 것을 고르세요.

11

> I don't know <u>무엇을 해야 할지</u>.

❶ what to do   ❷ when to do   ❸ how to do

❹ what doing   ❺ when doing

12

> He told me <u>그 도서관에 어떻게 가야 할지</u>.

❶ what to get to the library   ❷ how to get to the library

❸ where to get to the library   ❹ where getting to the library

❺ how to getting to the library

13

> They were <u>컴퓨터 게임을 하느라 바쁜</u>.

❶ busy play computer games   ❷ busy to play computer games

❸ busy playing computer games   ❹ busy plays computer games

❺ busy played computer games

[14 - 15] 다음 문장의 빈칸에 들어갈 말이 순서대로 바르게 짝지어진 것을 고르세요.

14

> • They promised _____ me a new computer.
> • Do you mind _____ the door?

❶ buy – close   ❷ buys – closes   ❸ buying – to close

❹ to buy – closing   ❺ to buy – to closes

15

> • Ms. White felt like _____ .
> • Can you go _____ with me tomorrow?

❶ swim – shop   ❷ swims – shops   ❸ to swim – shopping

❹ swimming – to shops   ❺ swimming – shopping

16 다음 문장의 빈칸에 공통으로 들어갈 알맞은 말을 고르세요.

> • I don't know when _____ start the race.
> • We hope _____ see you again soon.

❶ to   ❷ of   ❸ in   ❹ as   ❺ than

17 다음 중 밑줄 친 부분이 잘못된 문장을 고르세요.

❶ They asked me where <u>to go</u>.   ❷ Amy practiced <u>to dance</u> all day.

❸ The dog started <u>to bark</u> loudly.   ❹ Mr. Lee gave up <u>drinking</u> coffee.

❺ He chose <u>to eat</u> a hamburger for lunch.

[18 – 20] 다음 우리말 뜻과 같도록 주어진 말을 사용하여 문장을 완성하세요.

18 우리는 한 시간 동안 계속 달렸다. (run)

➡ We kept _____ for an hour.

19 그 의사는 가난한 사람들을 돕기를 원한다. (help)

➡ The doctor wants _____ _____ poor people.

20 조시는 무엇을 읽을지 결정할 수 없다. (read)

➡ Josh can't decide what _____ _____ .

정답 및 해설 31~32쪽

[21-23] 다음 밑줄 친 부분을 바르게 고쳐 문장을 다시 쓰세요.

21

My grandma is busy <u>to feed</u> the cat.

➡ _____

22

He asked me where <u>putting</u> the boxes.

➡ _____

23

Tim feels like <u>to eat</u> some soup.

➡ _____

[24-25] 주어진 말을 바르게 배열하여 문장을 쓰세요.

24 (wanted / my parents / to raise / the iguana / .)

➡ _____

우리 부모님은 그 이구아나를 기르고 싶어 하셨다.

25 (going to the dentist / Ken / hates / .)

➡ _____

켄은 치과에 가는 것을 매우 싫어한다.

WRAP UP

정답 및 해설 32쪽

1 동명사와 to부정사

❶ ¹[⠀⠀⠀⠀]가 목적어로 오는 동사: enjoy, finish, give up, keep, mind, stop, practice 등

❷ ²[⠀⠀⠀⠀]가 목적어로 오는 동사: want, wish, hope, expect, choose, decide, plan, promise 등

❸ ³[⠀⠀⠀⠀]와 ⁴[⠀⠀⠀⠀]가 목적어로 오는 동사: begin, start, like, love, hate, continue 등

2 동명사와 to부정사의 여러 가지 표현

❶ 자주 쓰는 동명사 표현: ¹[⠀⠀⠀⠀]~ing(~하러 가다) / be ²[⠀⠀⠀⠀]~ing(~하느라 바쁘다) / feel ³[⠀⠀⠀⠀]~ing(~하고 싶다)

❷ 의문사+to부정사: ⁴[⠀⠀⠀⠀]+to부정사(무엇을 ~할지) / how+to부정사(⁵[⠀⠀⠀⠀]~할지) / ⁶[⠀⠀⠀⠀]+to부정사(언제 ~할지) / where+⁷[⠀⠀⠀⠀](어디로 ~할지)

Check Up 그림을 보고, 알맞은 말을 찾아 다음 대화의 빈칸에 쓰세요.

to ski	went	skiing

REVIEW TEST 04

[1-2] 다음 중 동사원형과 동명사가 <u>잘못</u> 짝지어진 것을 고르세요.

1 ❶ swim – swiming   ❷ ski – skiing   ❸ fly – flying
      ❹ ride – riding   ❺ teach – teaching

2 ❶ take – takeing   ❷ wash – washing   ❸ jog – jogging
      ❹ write – writing   ❺ go – going

[3-4] 다음 문장의 빈칸에 알맞은 말을 고르세요.

3

_____ comic books is fun.

❶ Read   ❷ Reads   ❸ Reading
❹ To reading   ❺ To reads

4

We stopped _____ on the bed.

❶ jump   ❷ jumps   ❸ jumped
❹ jumping   ❺ to jumping

[5-6] 다음 우리말 뜻과 같도록 괄호 안에서 알맞은 말을 고르세요.

5

팀의 직업은 자동차를 파는 것이다.

➡ Tim's job is (sells / selling) cars.

6

우리 엄마는 요리를 잘하신다.

➡ My mom is good at (cooking / to cook).

7 다음 중 밑줄 친 부분이 <u>잘못된</u> 문장을 고르세요.

❶ Tony gave up <u>selling</u> tickets.

❷ She is interested in <u>taking</u> care of poor people.

❸ Jason began <u>to laugh</u>.

❹ I can't decide what <u>to wear</u>.

❺ I enjoy <u>to play</u> soccer.

[8 - 10] 다음 문장의 밑줄 친 부분을 바르게 고쳐 쓴 것을 고르세요.

8

> My sister was tired of <u>do</u> yoga.

❶ does   ❷ did   ❸ to do

❹ doing   ❺ to doing

9

> Jack was busy <u>to clean</u> his room.

❶ clean   ❷ cleaned   ❸ cleans

❹ cleaning   ❺ to cleaning

10

> They plan to go <u>skate</u> this Saturday.

❶ skates   ❷ skating   ❸ skated

❹ to skate   ❺ to skated

11 다음 중 밑줄 친 부분이 올바른 문장을 고르세요.

❶ Please tell me where <u>going</u>.

❷ They wanted <u>seeing</u> the star.

❸ They taught me how <u>read</u> it.

❹ Emily felt like <u>listening</u> to music.

❺ I don't mind <u>to turn</u> on the radio.

[12-14] 다음 우리말을 영어로 바르게 옮긴 것을 고르세요.

12

> 데이비드는 그림을 그리는 데 서투르다.

❶ David is poor at drawing pictures.

❷ David is poor at draw pictures.

❸ David is poor to draw pictures.

❹ David is poor drawing pictures.

❺ David is poor to drawing pictures.

13

> 그녀는 그 접시를 깨뜨린 것에 대해 미안해했다.

❶ She was sorry at breaking the dish.

❷ She was sorry for breaking the dish.

❸ She was sorry at break the dish.

❹ She was sorry for break the dish.

❺ She was sorry for to break the dish.

14

> 그는 돌아올 것을 약속했다.

❶ He promised to come back.

❷ He promised come back.

❸ He promised comes back.

❹ He promised coming back.

❺ He promised to coming back.

15 다음 문장의 빈칸에 들어갈 말이 순서대로 바르게 짝지어진 것을 고르세요.

> • Jenny practiced _____ the piano for two days.
> • They expected _____ the gold medal.

❶ play - win **❷** plays - wins **❸** playing - to win

❹ to play - winning **❺** playing - winning

[16 – 18] 다음 우리말 뜻과 같도록 빈칸에 알맞은 말을 쓰세요.

16 나는 사진 찍는 것에 관심이 있다.
➡ I am interested _____ taking pictures.

17 이번 주말에 낚시하러 가자.
➡ Let's _____ fishing this weekend.

18 데이지는 지금 울고 싶다.
➡ Daisy feels _____ crying now.

[19 – 20] 다음 밑줄 친 부분을 바르게 고쳐 문장을 다시 쓰세요.

19
> Sarah was busy to talk on the phone.

➡ _____

20
> Jake promised helping me with my homework.

➡ _____

FINAL TEST 01

[1-2] 다음 문장의 빈칸에 알맞은 말을 고르세요.

1

> There are three _____ under the table.

❶ puppy   ❷ puppys   ❸ puppies

❹ puppyes   ❺ puppyies

2

> Mom bought three _____ for breakfast.

❶ loafs of bread   ❷ loaf of breads   ❸ loaves of bread

❹ loaves of breads   ❺ loaf of bread

[3-5] 다음 우리말 뜻과 같도록 괄호 안에서 알맞은 말을 고르세요.

3

> 이 자전거가 저것보다 새것이다.

➡ This bike is (new / newer) than that one.

4

> 우리 형은 우리 가족 중에서 가장 키가 크다.

➡ My brother is (taller / the tallest) in my family.

5

> 그 여왕도 현명했다.

➡ The queen was wise (too / either).

[6-7] 다음 문장에서 밑줄 친 부분을 바르게 고쳐 쓴 것을 고르세요.

6

His sister sings as <u>better</u> as him.

❶ good ❷ well ❸ best

❹ the best ❺ more better

7

The thieves ran away as fast as they <u>should</u>.

❶ can ❷ could ❸ shall

❹ will ❺ may

[8-9] 다음 빈칸에 들어갈 말이 순서대로 바르게 짝지어진 것을 고르세요.

8

• The weather is getting colder _____ colder.

• Hyuna is one _____ the prettiest girls in my school.

❶ and – of ❷ than – of ❸ than – to

❹ and – to ❺ as – of

9

• The jeans are _____ more expensive than the pants.

• Cathy didn't throw the ball as far _____ him.

❶ much – than ❷ much – as ❸ very – than

❹ very – as ❺ much – to

10 다음 중 밑줄 친 부분의 우리말 뜻이 올바른 것을 고르세요.

❶ She has <u>an art magazine to read</u>. (미술 잡지를 읽기 위해)

❷ Sori loves <u>to ride roller coasters</u>. (롤러코스터를 타기 위해)

❸ <u>To make cake</u> was easy. (만들 케이크)

❹ James was happy <u>to win the game</u>. (그 경기에 이겨서)

❺ Paul came home early <u>to watch TV</u>. (TV를 보는 것을)

[11 - 12] 다음 중 밑줄 친 부분이 잘못된 문장을 고르세요.

11 ❶ Dad enjoys <u>to play</u> tennis.   ❷ Judy wants <u>to become</u> a dancer.

❸ Did he finish <u>sweeping</u> the floor?   ❹ They plan <u>to go</u> to the movies.

❺ The child kept <u>jumping</u> rope.

12 ❶ Her cat <u>is cute</u>.   ❷ The star was <u>very beautiful</u>.

❸ <u>My wallet red</u> is over there.   ❹ The rabbit ran <u>so fast</u>.

❺ Those <u>black dogs</u> are Mr. Miller's.

[13 - 15] 다음 중 밑줄 친 우리말을 영어로 바르게 옮긴 것을 고르세요.

13

> James went to the library <u>그 책을 빌리기 위해</u>.

❶ borrow the book   ❷ borrows the book   ❸ borrowed the book

❹ to borrow the book   ❺ borrowing the book

14

> <u>연을 날리는 것</u> is fun.

❶ Fly a kite   ❷ Flies a kite   ❸ Flew a kite

❹ Flying a kite   ❺ To Flying a kite

15

> We hope 당신을 다시 보기를.

❶ see you again   ❷ sees you again   ❸ to see you again

❹ seeing you again   ❺ to seeing you again

[16-17] 주어진 말을 바르게 배열하여 문장을 쓰세요.

16 (at / she / is / poor / cooking / .)

➡ _____

그녀는 요리를 못한다.

17 (exciting / play computer games / to / is / .)

➡ _____

컴퓨터 게임을 하는 것은 신이 난다.

[18-20] 다음 우리말 뜻과 같도록 주어진 말을 사용하여 문장을 쓰세요.

18 우리는 설탕이 조금 필요하다. (need, some sugar)

➡ _____

19 그는 항상 7시에 아침 식사를 한다. (always, have breakfast, at seven)

➡ _____

20 고흐는 그림 그리는 것을 포기하지 않았다. (Gogh, give up, draw pictures)

➡ _____

FINAL TEST 02

1 다음 중 셀 수 있는 명사를 고르세요.

❶ air   ❷ goat   ❸ water

❹ Halloween   ❺ Korea

2 다음 중 셀 수 <u>없는</u> 명사를 고르세요.

❶ sand   ❷ pencil case   ❸ knife

❹ flower   ❺ wolf

[3-5] 다음 문장의 빈칸에 들어갈 수 <u>없는</u> 말을 고르세요.

3
> He is _____ heavier than his sister.

❶ even   ❷ far   ❸ a lot

❹ still   ❺ very

4
> My _____ dog was sitting on the chair.

❶ red   ❷ big   ❸ small

❹ very   ❺ brave

5
> Ken is singing the song _____.

❶ loudly   ❷ slowly   ❸ fast

❹ beautifully   ❺ quiet

[6-8] 다음 우리말 뜻과 같도록 괄호 안에서 알맞은 말을 고르세요.

6

> 병 안에 우유가 조금 있다.

➡ There is (a little / little) milk in the bottle.

7

> 닉은 피자 세 조각을 먹었다.

➡ Nick ate three (pieces / cans) of pizza.

8

> 가능한 한 빨리 그에게 전화를 걸어라.

➡ Call him as (soon / sooner) as possible.

[9-10] 다음 문장의 빈칸에 알맞은 말을 고르세요.

9

> Hallasan is _____ than Sobaeksan. 한라산은 소백산보다 높다.

❶ high   ❷ higher   ❸ the highest
❹ low   ❺ lower

10

> Sam was _____ boy in the town. 샘은 마을에서 가장 힘이 센 남자아이였다.

❶ strong   ❷ stronger   ❸ the strongest
❹ weaker   ❺ the weakest

[11–12] 다음 문장의 빈칸에 공통으로 알맞은 말을 고르세요.

11

> • Sonya was as lucky _____ her friend.
> • Jack doesn't study _____ hard as you.

❶ than　　❷ as　　❸ then　　❹ and　　❺ to

12

> • I like _____ read books.
> • The kids hate _____ swim in the pool.

❶ in　　❷ of　　❸ to　　❹ and　　❺ than

13 다음 빈칸에 들어갈 말이 순서대로 바르게 짝지어진 것을 고르세요.

> • Heathrow Airport is one of the most famous _____ in the world.
> • Jenny walked as often as _____.

❶ airport – possible　　❷ airports – possible　　❸ airport – could

❹ airports – could　　❺ airports – can

[14–15] 다음 우리말을 바르게 옮긴 것을 고르세요.

14

> 엄마는 나에게 고양이 한 마리를 사 주기로 약속하셨다.

❶ Mom promised buy me a cat.　　❷ Mom promised buys me a cat.

❸ Mom promised buying me a cat.　　❹ Mom promised to buy me a cat.

❺ Mom promised to buying me a cat.

15

> 문 좀 열어 줄래?

❶ Do you mind open the door?   ❷ Do you mind opens the door?

❸ Do you mind opening the door?   ❹ Do you mind to open the door?

❺ Do you mind to opening the door?

[16 - 18] 다음 밑줄 친 부분을 바르게 고쳐 문장을 다시 쓰세요.

16

> The cow became <u>more and more fat</u>.

➡ _____

17

> They practiced <u>to play</u> the piano all day.

➡ _____

18

> My family is planning <u>visiting</u> his house this weekend.

➡ _____

[19 - 20] 주어진 말을 바르게 배열하여 문장을 쓰세요.

19 (use / sometimes / you / may / my dictionary / .)

➡ _____

너는 가끔 내 사전을 써도 된다.

20 (in the sky / Amelia's dream / flying / is / .)

➡ _____

아멜리아의 꿈은 하늘을 나는 것이다.

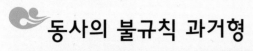

동사의 불규칙 과거형

동사원형	과거형	동사원형	과거형
be ~이다	was/were	become ~이 되다	became
begin 시작하다	began	blow 불다	blew
break 깨다, 부수다	broke	bring 가져오다	brought
build 짓다, 건설하다	built	buy 사다	bought
catch 잡다, 받다	caught	choose 고르다	chose
come 오다	came	cut 베다, 자르다	cut
do 하다	did	draw 그리다	drew
drink 마시다	drank	drive 운전하다	drove
eat 먹다	ate	fall 떨어지다	fell
feed 먹이다	fed	feel 느끼다	felt
fight 싸우다	fought	find 찾다	found
fit 맞다	fit	fly 날다	flew
forget 잊다	forgot	get 얻다, 받다	got
give 주다	gave	go 가다	went
grow 자라다	grew	have 가시나	had
hear 듣다	heard	hide 감추다, 숨기다	hid
hit 때리다	hit	hold 잡고 있다, 붙들다	held
hurt 다치게 하다	hurt	keep 유지하다	kept
know 알다, 알고 있다	knew	lead 안내하다	led
leave 떠나다	left	lend 빌려 주다	lent
lie 눕다	lay	lose 잃어버리다, 지다	lost
make 만들다	made	meet 만나다	met
pay 지불하다	paid	put 놓다	put
quit 그만두다	quit	read 읽다	read
ride 타다	rode	ring 전화하다	rang
run 달리다	ran	say 말하다	said
see 보다	saw	sell 팔다	sold
send 보내다	sent	set 놓다	set
shake 흔들다	shook	shoot 쏘다	shot
shut 닫다	shut	sing 노래하다	sang
sit 앉다	sat	sleep 자다	slept
speak 말하다	spoke	stand 서다	stood
steal 훔치다	stole	sweep 쓸다	swept
swim 수영하다	swam	take 가져가다	took
teach 가르치다	taught	tear 찢다	tore
tell 말하다	told	think 생각하다	thought
throw 던지다	threw	understand 이해하다	understood
wake (잠에서) 깨다	woke	wear 입다	wore
win 이기다	won	write 쓰다	wrote

Grammar, ZAP!

ANSWER KEY

심화 2

E TOPIA

Grammar, ZAP!

ANSWER KEY

심화 **2**

TOPIA

01 셀 수 있는 명사

만화 해석 10쪽

스노위: 그녀는 내게 쿠키 하나를 줬어.

블래키: 그녀는 내게 쿠키 두 개를 줬지.

Grammar Walk! 11쪽

A
1	손목시계, ❷	2	열쇠, ❷
3	나라, 국가 ❶	4	도둑, ❷
5	사슴, ❶	6	이, 치아, ❶
7	동굴, ❶	8	벤치, 긴 의자, ❷
9	부인, 숙녀, ❷	10	아내, 부인, ❷
11	(남자) 배우, ❶	12	접시, ❷
13	선반, ❷	14	아이, 어린이, ❶
15	강아지, ❷		

02 셀 수 없는 명사

만화 해석 12쪽

서니: 우리는 설탕이 필요해.

스노위: 서니가 거기에 소금 세 숟가락을 넣으려고 하고 있어.

Grammar Walk! 13쪽

A
1	수프 한 그릇	2	주스 한 병
3	치즈 한 덩어리	4	물 한 컵
5	종이 한 장	6	비누 한 개
7	설탕 한 숟가락	8	커피 네 잔
9	콜라 다섯 캔	10	빵 세 덩어리
11	토스트 두 조각	12	밀가루 네 자루[봉지]
13	소금 여섯 숟가락	14	우유 두 컵
15	샴푸 세 병		

Grammar Run! 14~15쪽

A
1	caps	2	potatoes	3	leaves
4	stories	5	men	6	deer
7	gardens	8	dresses	9	heroes
10	cities	11	wives	12	oxen
13	tables	14	holidays	15	women
16	sheep	17	boats	18	foxes
19	knives	20	countries	21	children
22	mice	23	buildings	24	brushes
25	calves	26	teeth	27	feet
28	geese	29	radios	30	roofs

B
1	glasses	2	slices	3	cups
4	bottles	5	bowls	6	pieces
7	spoonfuls	8	loaves	9	sheets
10	cans	11	bars	12	bags
13	bowls	14	slices	15	glasses

해설 **A**
1	모자 → 모자들	2	감자 → 감자들
3	나뭇잎 → 나뭇잎들	4	이야기 → 이야기들
5	남자 → 남자들	6	사슴 → 사슴들
7	정원 → 정원들	8	드레스 → 드레스들
9	영웅 → 영웅들	10	도시 → 도시들
11	아내 → 아내들	12	황소 → 황소들
13	탁자 → 탁자들	14	휴일 → 휴일들
15	여자 → 여자들	16	양 → 양들
17	보트 → 보트들	18	여우 → 여우들
19	칼 → 칼들	20	나라 → 나라들
21	아이 → 아이들	22	쥐 → 쥐들
23	건물 → 건물들	24	빗 → 빗들
25	송아지 → 송아지들	26	치아 → 치아들
27	발 → 발들	28	거위 → 거위들
29	라디오 → 라디오들	30	지붕 → 지붕들

B
1 우유 한 컵 → 우유 두 컵
2 피자 한 조각 → 피자 여섯 조각
3 차 한 잔 → 차 세 잔
4 물 한 병 → 물 다섯 병
5 밥 한 그릇 → 밥 네 그릇
6 케이크 한 조각 → 케이크 열 조각
7 소금 한 숟가락 → 소금 두 숟가락
8 빵 한 덩어리 → 빵 네 덩어리
9 종이 한 장 → 종이 아홉 장
10 탄산음료 한 캔 → 탄산음료 일곱 캔
11 초콜릿 한 개 → 초콜릿 네 개
12 옥수수 한 자루[봉지] → 옥수수 다섯 자루[봉지]
13 시리얼 한 그릇 → 시리얼 두 그릇
14 파이 한 조각 → 파이 네 조각
15 주스 한 컵 → 주스 세 컵

Grammar Jump! 16~17쪽

A
1	babies	2	wolves
3	deer	4	men

5	children	6	boxes
7	benches	8	glasses
9	bottles	10	sheets
11	slices	12	bars

B

1	two buses	2	two teeth
3	three potatoes	4	Four boys
5	three dishes	6	four sheep
7	a tree	8	Five puppies
9	a bag of rice	10	two pieces of cake
11	six slices of cheese	12	a cup of milk
13	two spoonfuls of sugar		
14	a bowl of soup	15	three bars of soap

해설 **A** 1 아기 한 명이 잠을 자고 있다.
　　　→ 아기 두 명이 잠을 자고 있다.
　2 언덕 위에 늑대 한 마리가 있었다.
　　　→ 언덕 위에 늑대 네 마리가 있었다.
　3 나는 숲에서 사슴 한 마리를 보았다.
　　　→ 나는 숲에서 사슴 세 마리를 보았다.
　4 한 남자가 축구를 하고 있었다.
　　　→ 다섯 명의 남자들이 축구를 하고 있었다.
　5 윌슨 씨 부부는 아이가 한 명 있었다.
　　　→ 윌슨 씨 부부는 여섯 명의 아이들이 있었다.
　6 우리 오빠는 무거운 상자 하나를 나르고 있었다.
　　　→ 우리 오빠는 무거운 상자 네 개를 나르고 있었다.
　7 공원에 벤치가 하나 있니?
　　　→ 공원에 벤치가 다섯 개 있니?
　8 케빈은 주스 한 컵을 주문했다.
　　　→ 케빈은 주스 두 컵을 주문했다.
　9 너는 물 한 병을 가지고 있니?
　　　→ 너는 물 세 병을 가지고 있니?
　10 내게 종이 한 장을 줘.
　　　→ 내게 종이 두 장을 줘.
　11 사라는 보통 아침에 토스트 한 조각을 먹는다.
　　　→ 사라는 보통 아침에 토스트 세 조각을 먹는다.
　12 그들은 비누 한 개를 가져왔다.
　　　→ 그들은 비누 다섯 개를 가져왔다.

　B 1 그들은 버스 두 대를 보았다.
　2 그 아기는 치아가 두 개이다.
　3 그 의사는 감자 세 개를 샀다.
　4 남자아이 네 명이 체육관에서 달리고 있었다.
　5 낸시는 접시 세 장을 깨뜨렸다.
　6 농장에 양 네 마리가 있다.

7 마당에 나무 한 그루가 있었다.
8 강아지 다섯 마리가 공을 가지고 놀고 있었다.
9 우리는 쌀 한 자루가 필요하다.
10 나는 케이크 두 조각을 먹었다.
11 피터는 치즈 여섯 장을 원한다.
12 내 여동생은 우유 한 잔을 마시고 있다.
13 내 차에 설탕 두 숟가락을 넣어라.
14 그녀의 어머니는 내게 수프 한 그릇을 만들어 주셨다.
15 그녀는 비누 세 개를 샀다.

Grammar Fly! 18~19쪽

A
1 I bought three roses.
2 We need four knives.
3 The child saw five oxen.
4 She had two geese.
5 He borrowed three dictionaries from the library.
6 Jessica gave me eleven tomatoes.
7 Edgar raises four puppies.
8 Minsu has ten watches.
9 Sunny doesn't need three boxes.
10 The police officer caught five wolves on the street.
11 The driver has two bikes.
12 My sister was washing eight potatoes.

B
1 I ate three bowls of rice.
2 My uncle bought six cans of corn.
3 David has a bag of salt.
4 She drank a glass of juice.
5 Meg doesn't want three pieces of cake.
6 She drinks five cups of coffee a day.
7 He had three pieces of pizza for lunch.
8 They wanted five slices of cheese.
9 My mother gave me two bars of soap.
10 We bought two loaves of bread.
11 Dad needed four spoonfuls of sugar.
12 I will bring two sheets of paper.

해설 **A** 1 나는 장미 한 송이를 샀다.
　　　→ 나는 장미 세 송이를 샀다.
　2 우리는 칼 한 자루가 필요하다.
　　　→ 우리는 칼 네 자루가 필요하다.
　3 그 아이는 황소 한 마리를 보았다.

→ 그 아이는 황소 다섯 마리를 보았다.

4 그녀는 거위 한 마리를 가지고 있었다.

→ 그녀는 거위 두 마리를 가지고 있었다.

5 그는 도서관에서 사전 한 권을 빌렸다.

→ 그는 도서관에서 사전 세 권을 빌렸다.

6 제시카는 내게 토마토 한 개를 주었다.

→ 제시카는 내게 토마토 열한 개를 주었다.

7 에드가는 강아지 한 마리를 키운다.

→ 에드가는 강아지 네 마리를 키운다.

8 민수는 손목시계 하나를 가지고 있다.

→ 민수는 손목시계 열 개를 가지고 있다.

9 서니는 상자 한 개가 필요하지 않다.

→ 서니는 상자 세 개가 필요하지 않다.

10 그 경찰관은 거리에서 늑대 한 마리를 잡았다.

→ 그 경찰관은 거리에서 늑대 다섯 마리를 잡았다.

11 그 운전사는 자전거 한 대를 가지고 있다.

→ 그 운전사는 자전거 두 대를 가지고 있다.

12 우리 누나는 감자 한 개를 씻고 있었다.

→ 우리 누나는 감자 여덟 개를 씻고 있었다.

Grammar & Writing

20~21쪽

A 1 five crayons　　2 two vases
　　3 two kettles　　4 four glasses
　　5 three tomatoes　6 two knives

B 1 two slices of bread, three bottles of milk
　　2 a bowl of cereal, an apple
　　3 a hamburger, a glass of cola
　　4 a piece of cake, three glasses of water
　　5 a bar of chocolate, a cup of tea

해설 **A** **1** (크레용) 수미는 연극을 위해 크레용 다섯 개를 가져올 것이다.

2 (꽃병) 민수는 연극을 위해 꽃병 두 개를 가져올 것이다.

3 (주전자) 유리는 연극을 위해 주전자 두 개를 가져올 것이다.

4 (유리컵) 인수는 연극을 위해 유리컵 네 개를 가져올 것이다.

5 (토마토) 수진이는 연극을 위해 토마토 세 개를 가져올 것이다.

6 (칼) 현진이는 연극을 위해 칼 두 자루를 가져올 것이다.

B 1 루시는 빵 두 조각을 먹고 우유 세 병을 마셨다.

2 잭은 시리얼 한 그릇과 사과 한 개를 먹었다.

3 에이미는 햄버거 한 개를 먹고 콜라 한 컵을 마셨다.

4 올리버는 케이크 한 조각을 먹고 물 세 컵을 마셨다.

5 에릭은 초콜릿 한 개를 먹고 차 한 잔을 마셨다.

UNIT TEST ·· 01

22~26쪽

1 ❷	2 ❸	3 ❸	4 ❶
5 ❺	6 sugar	7 meat	8 milk
9 ❶	10 ❷	11 ❺	12 ❷
13 ❸	14 ❺	15 ❸	16 ❺
17 ❹	18 sisters	19 men	20 slices

21 tomatoes　　22 cup[glass] of
23 bowls　24 Two puppies are sleeping in the room.　25 My friend gave a can of soda to me.

해설

1 man은 셀 수 있는 명사이고, 나머지는 셀 수 없는 명사들이다.
❶ 공기 ❷ 남자 ❸ 음악 ❹ 축구 ❺ 크리스마스

2 milk는 셀 수 없는 명사이고, 나머지는 셀 수 있는 명사들이다.
❶ 사슴 ❷ 의사 ❸ 우유 ❹ 강아지 ❺ 벤치

3 「자음+y」로 끝나는 명사는 -y를 -i로 바꾸고 -es를 붙여 복수형을 만든다.
❶ potato – potatoes 감자 – 감자들
❷ wolf – wolves 늑대 – 늑대들
❸ 아기 – 아기들
❹ tooth – teeth 이, 치아 – 이들, 치아들
❺ boy – boys 남자아이 – 남자아이들

4 「모음+y」로 끝나는 명사의 복수형은 명사 뒤에 -s만 붙인다.
❶ 열쇠 – 열쇠들
❷ box – boxes 상자 – 상자들
❸ hero – heroes 영웅 – 영웅들
❹ sheep – sheep 양 – 양들
❺ story – stories 이야기 – 이야기들

5 -f(e)로 끝나는 명사는 -f 또는 -fe를 -v로 바꾸고 -es를 붙여 복수형을 만든다.
❶ country – countries 나라 – 나라들
❷ dish – dishes 접시 – 접시들
❸ cave – caves 동굴 – 동굴들
❹ tomato – tomatoes 토마토 – 토마토들
❺ 나뭇잎 – 나뭇잎들

6 셀 수 없는 명사(sugar)는 a나 an과 함께 쓰지 않는다.

7 셀 수 없는 명사(meat)는 복수형으로 쓰지 않는다.

8 셀 수 없는 명사(milk)는 복수형으로 쓰지 않는다.

9 셀 수 없는 명사인 rice가 '밥'의 의미일 때는 용기를 나타내는 bowl을 사용해서 수량을 표현한다.
- 내 사촌은 밥 한 그릇을 먹었다.
- ❶ 그릇 ❷ 막대, 개 ❸ (얇게 썬) 조각 ❹ 조각, 한 부분
- ❺ 한 장

10 셀 수 없는 명사인 flour는 bag을 사용해서 양을 표현한다.
- 그들은 우리에게 밀가루 한 자루[봉지]를 가져다주었다.
- ❶ (얇게 썬) 조각 ❷ 자루, 봉지 ❸ 막대, 개 ❹ 덩어리
- ❺ 조각, 한 부분

11 빈칸 앞에 three가 있으므로 빈칸에는 wolf의 복수형인 wolves가 들어가야 한다. wolf처럼 -f로 끝나는 명사는 -f를 -v로 바꾸고 -es를 붙여 복수형을 만든다.
- 나는 숲에서 늑대 한 마리를 보았다.
  - → 나는 숲에서 늑대 세 마리를 보았다.

12 빈칸 앞에 five가 있으므로 빈칸에는 watermelon의 복수형인 watermelons가 들어가야 한다.
- 그는 내게 수박 한 개를 주었다.
  - → 그는 내게 수박 다섯 개를 주었다.

13 빈칸 앞에 two가 있으므로 빈칸에는 dictionary의 복수형인 dictionaries가 들어가야 한다. 「자음+y」로 끝나는 명사는 -y를 -i로 바꾸고 -es를 붙여 복수형을 만든다.
- 내 여동생은 도서관에서 사전 한 권을 빌렸다.
  - → 내 여동생은 도서관에서 사전 두 권을 빌렸다.

14 빈칸 앞에 three와 five가 있고 cake와 milk는 셀 수 없는 명사이므로, 빈칸에는 단위를 나타내는 piece와 glass의 복수형인 pieces와 glasses가 알맞다.
- 나는 케이크 세 조각을 먹었다.
- 엄마는 우유 다섯 컵을 주문하셨다.

15 빈칸 앞에 two와 four가 있고 bread와 sugar는 셀 수 없는 명사이므로, 빈칸에는 단위와 용기를 나타내는 loaf와 spoonful의 복수형인 loaves와 spoonfuls가 알맞다.
- 그는 빵 두 덩어리를 샀다.
- 클레어는 자기 차에 설탕 네 숟가락을 넣었다.

16 셀 수 있는 명사(lady)가 둘 이상일 때는 복수형을 써야 하므로 two ladies가 되어야 한다. 「자음+y」로 끝나는 명사는 -y를 -i로 바꾸고 -es를 붙여 복수형을 만든다.
- 숙녀 두 분이 여기로 오고 있었다.

17 soap는 셀 수 없는 명사이므로 bar를 사용해서 양을 표현한다. 셀 수 없는 명사의 여러 수량을 표현할 때는 숫자 뒤의 용기나 단위를 복수형으로 쓰므로 three bars of soap가 알맞다.
- 우리는 비누 세 개가 필요하다.

18 빈칸 앞에 two가 있고 sister는 셀 수 있는 명사이므로 sister의 복수형인 sisters를 쓴다.
- 내게는 여동생이 두 명 있다.

19 빈칸 앞에 Four가 있고 man은 셀 수 있는 명사이므로 man의 복수형인 men을 쓴다.
- 남자 네 명이 공원에서 조깅을 하고 있었다.

20 빈칸 앞에 Three가 있고 cheese는 셀 수 없는 명사이므로 빈칸에는 단위를 나타내는 명사 slice의 복수형인 slices를 쓴다.
- 치즈 세 장이 접시 위에 있었다.

21 빈칸 앞에 two가 있고 tomato는 셀 수 있는 명사이므로 tomato의 복수형인 tomatoes를 쓴다. -o로 끝나는 명사는 -es를 붙여 복수형을 만든다.

22 셀 수 없는 명사인 coffee는 cup 또는 glass를 사용해서 수량을 표현한다. '커피 한 잔'이므로 cup[glass] of가 알맞다.

23 빈칸 앞에 four가 있고 soup는 셀 수 없는 명사이므로 빈칸에는 용기를 나타내는 명사 bowl의 복수형인 bowls를 쓴다.

24 puppy 앞에 복수를 나타내는 숫자 Two가 있으므로 puppy를 복수형인 puppies로 바꿔 써야 한다. 「자음+y」로 끝나는 명사는 -y를 -i로 바꾸고 -es를 붙여 복수형을 만든다.
- 강아지 두 마리가 방에서 잠을 자고 있다.

25 셀 수 없는 명사(soda)의 용기나 단위가 하나일 때는 단수로 써야 하므로 cans를 can으로 바꿔 써야 한다.
- 내 친구가 내게 탄산음료 한 캔을 주었다.

Wrap Up 27쪽

1 1 -s 2 -es 3 -i 4 -v
2 1 1 a 2 an 3 용기 4 단위

Check up
deer, lions, a glass of water

만화 해석

짝: 사슴 한 마리가 있어.
서니: 사자 두 마리가 있어.
서니: 나는 물 한 컵이 필요해.
아저씨: 쉿!

Unit 02 형용사와 부사

01 형용사

만화 해석 30쪽

블래키: 서니는 어제 새 드레스를 샀어.
블래키: 서니는 화가 나 있어. 그녀의 새 드레스가 더럽거든.

Grammar Walk! 31쪽

A
1 피곤한, 지친
2 몇몇의, 약간의
3 화가 난
4 지루한
5 맛있는
6 주의 깊은
7 가득한
8 다른
9 거의 없는
10 비싼
11 싼
12 쉬운
13 어두운
14 자유로운, 한가한
15 어리석은
16 운이 좋은

17	거의 없는	18	기쁜
19	부유한, 부자인	20	많은
21	놀란, 놀라는	22	용감한
23	깊은	24	비어 있는
25	약간의	26	많은
27	유명한	28	중요한
29	약한	30	건강한

02 부사

만화 해석 32쪽

짹: 클라라는 아름다워. 클라라의 언니도 아름답지.
써니: 클라라는 똑똑하지 않아. 클라라의 언니도 똑똑하지 않아.

Grammar Walk! 33쪽

A
1	전혀/결코/절대로 ~ 않다	2	오늘 밤에, 오늘 밤
3	항상, 언제나	4	빨리, 빠르게
5	솔직히	6	갑자기
7	때때로, 가끔	8	여기에
9	자주, 흔히	10	거기에
11	~도, 너무 (~한)	12	~도
13	지금	14	곧, 머지않아
15	어제	16	매우
17	꽤, 상당히	18	그때
19	큰 소리로	20	열심히
21	아주, 정말	22	잘
23	행복하게	24	아름답게
25	아직, 아직도	26	한 번 더, 다시
27	안에, 안으로	28	내일
29	오늘	30	밖에, 밖으로

Grammar Run! 34~35쪽

A
1	delicious	2	empty	3	colorful
4	interesting	5	long	6	careful
7	little	8	A few	9	much
10	many	11	a little	12	few

B
1	easily	2	quite	3	late
4	really	5	still	6	sometimes
7	usually	8	often	9	never
10	always	11	too	12	either

[해설] **A** careful 주의 깊은, interesting 재미있는, 흥미로운, long (길이가) 긴, empty 비어 있는, colorful (색이)

다채로운, 형형색색의, much 많은, little 거의 없는, a few 몇몇의, 약간의, a little 약간의, few 거의 없는, many 많은, delicious 맛있는

Grammar Jump! 36~37쪽

A
1	내 좋은 친구	2	유명한 과학자	3	정직하다
4	배 몇 개	5	많은 사자들		
6	매우 재미있는 잡지			7	행복하게
8	조심스럽게	9	상당히[꽤] 빨리		
10	항상	11	자주	12	보통

B
1	an expensive watch			
2	that funny clown	3	are interesting
4	few people	5	a lot of time
6	many hospitals	7	moves quickly
8	too difficult	9	so quietly
10	really exciting	11	very cute
12	always keeps	13	will never forget
14	is usually	15	can sometimes use

Grammar Fly! 38~39쪽

A
1 The lizard's tail is long.
2 Michael is a good swimmer.
3 Anna speaks very loudly.
4 This shirt is too small for me.
5 Mr. Goodson always goes to bed at 11 o'clock.
6 I often walked my dog in the park.
7 My cat never eats fish.
8 The students are usually quiet in class.
9 I should sometimes visit my aunt in Busan.
10 I like black too.
11 He didn't have a piece of cake either.
12 Rachel and Mike aren't doctors either.

B
1 Marilyn is a careful student.
2 My new car is fast.
3 She wanted the green dress.
4 Our neighbors are kind.
5 His brother was sometimes lazy.
6 Liza must always wear her glasses.
7 My uncle never comes on time.

8 Mom often reads a book before bed.
9 She doesn't have a mobile phone either.
10 There are a few onions in the box.
11 We have little time.
12 Tim can use chopsticks too.

Grammar & Writing
40~41쪽

A 1 a lot of apples   2 lots of water
   3 a few fish   4 little sugar
   5 a few people   6 a little milk

B 1 Jane always reads books
   2 Bob usually watches TV
   3 Sally often goes to the library
   4 Paul sometimes plays soccer
   5 Amy never does yoga

해설 **A** 1 (사과/많은) 바구니에 사과가 많이 있다.
   2 (물/많은) 양동이에 물이 많이 있다.
   3 (물고기/조금 있는) 어항에 물고기가 조금 있다.
   4 (설탕/거의 없는) 봉지에 설탕이 거의 없다.
   5 (사람들/몇몇의) 해변에 사람들이 몇 명 있다.
   6 (우유/약간의) 병에 우유가 조금 있다.

B read books 책을 읽다, watch TV TV를 보다, go to the library 도서관에 가다, play soccer 축구를 하다, do yoga 요가를 하다
   1 제인은 여가 시간에 항상 책을 읽는다.
   2 밥은 여가 시간에 대개 TV를 본다.
   3 샐리는 여가 시간에 자주 도서관에 간다.
   4 폴은 여가 시간에 가끔 축구를 한다.
   5 에이미는 여가 시간에 결코 요가를 하지 않는다.

UNIT TEST · 02
42~46쪽

1 ❹	2 ❹	3 ❷	4 ❸
5 ❶	6 ❹	7 ❺	8 ❹
9 ❺	10 ❸	11 too	12 little
13 lots of	14 ❹	15 ❸	16 ❹
17 ❺	18 tall	19 always	
20 happily	21 He didn't do yoga either.		
22 The actor is brave.	23 a small monkey		
24 sometimes eat	25 A few birds		

해설

1 ❶ happy – happily 행복한 – 행복하게
   ❷ quiet – quietly 조용한 – 조용히
   ❸ beautiful – beautifully 아름다운 – 아름답게
   ❹ 느린 – 느리게
   ❺ good – well 좋은 – 잘

2 always는 '항상, 언제나'라는 뜻이다.

3 '비어 있는'이라는 뜻을 지닌 형용사는 empty이다.
   ❶ 기쁜 ❷ 비어 있는 ❸ 지루한 ❹ 건강한 ❺ 잘생긴

4 '피곤한'이라는 뜻을 지닌 형용사는 tired이다.
   ❶ 신 나는, 흥미진진한 ❷ 유명한 ❸ 피곤한, 지친 ❹ 다른 ❺ 화가 난

5 '비싼'이라는 뜻을 지니는 형용사는 expensive이다.
   ❶ 비싼 ❷ 싼 ❸ 어려운 ❹ 어두운 ❺ 자유로운, 한가한

6 be동사 뒤에서 '~하다'의 뜻으로 주어의 성질이나 상태를 설명해 주는 것은 형용사이고, '꽤, 매우' 등의 뜻으로 형용사를 꾸며 주는 것은 부사이다. '화창한, 맑은'이라는 뜻을 지닌 형용사는 sunny이고, 형용사 fast를 꾸며 주며 '꽤'라는 의미를 지닌 부사는 quite이다.
   ❶ 화창한 – 지금 ❷ 태양 – 지금 ❸ 태양 – 곧, 머지않아 ❹ 화창한 – 꽤, 상당히 ❺ 화창한 – 너무 (~한), ~도

7 첫 번째 빈칸에는 '가끔'이라는 뜻의 빈도부사 sometimes를 쓰고, 두 번째 빈칸에는 be동사 뒤에서 '~하다'의 뜻으로 주어의 성질이나 상태를 설명해 주는 형용사 late(늦은)를 쓴다.
   ❶ 자주 – 늦은 ❷ 자주 – 느리게 ❸ 자주 – 느린 ❹ 가끔 – 느린 ❺ 가끔 – 늦은

8 dog는 명사이므로 빈칸에는 명사 앞에서 꾸며 주는 말인 형용사가 알맞다. so는 부사이고 나머지는 형용사이다.
   ❶ 검은색의 ❷ 큰 ❸ 작은 ❹ 정말, 대단히 ❺ 귀여운
   • 그 _____ 개는 에리카의 것이다.

9 be동사 뒤에서 '~하다'의 뜻으로 주어의 성질이나 상태를 설명해 주는 것은 형용사이므로 빈칸에는 형용사가 알맞다. honestly는 부사이고 나머지는 형용사이다.
   • 그 학생들은 매우 _____ 했다.
   ❶ 영리한 ❷ 키가 큰 ❸ 귀여운 ❹ 힘이 센 ❺ 솔직히

10 '~하게, ~이/히' 등의 뜻으로 동사를 꾸며 주는 것은 부사이므로 빈칸에는 부사가 알맞다. good은 형용사이고 나머지는 부사이다.
   ❶ 천천히 ❷ 빨리 ❸ 좋은 ❹ 조용히 ❺ 큰 소리로
   • 우리 사촌은 영어를 _____ 말한다.

11 too는 긍정문 뒤에 쓰이고, either는 부정문 뒤에 쓰인다. 긍정문이므로 too가 알맞다.
   • 그도 숙제를 끝마쳤다.

12 few는 셀 수 있는 명사 앞에 쓰고, little은 셀 수 없는 명사 앞에 쓴다. money는 셀 수 없는 명사이므로 little이 알맞다.
   • 에반은 돈이 거의 없었다.

13 many는 셀 수 있는 명사 앞에 쓰이고, lots of는 셀 수 있는 명사와 셀 수 없는 명사 앞에 모두 쓰인다. snow는 셀 수 없는 명사이므로 lots of가 알맞다.
   • 우리는 겨울에 눈이 많이 온다.

14 형용사가 관사(a/an/the), 지시형용사(this/that/these/those), 소유격과 함께 명사를 꾸며 주면 형용사는 명사 바로 앞에 온다.
  ❶ My red pen is expensive. 내 빨간색 펜은 비싸다.
  ❷ Look at the white dog. 흰색 개를 봐라.
  ❸ You are pretty. 너는 예쁘다.
  ❹ 그녀는 큰 가방을 하나 가지고 있다.
  ❺ Their baby is cute. 그들의 아기는 귀엽다.

15 빈도부사는 be동사와 조동사 뒤, 일반동사 앞에 쓴다.
  ❶ The girl always smiles happily. 그 여자아이는 항상 행복하게 미소 짓는다.
  ❷ Matthew usually drove his car carefully. 매튜는 보통 조심스럽게 운전을 했다.
  ❸ 나는 항상 너를 사랑할 것이다.
  ❹ The computer game was sometimes exciting. 그 컴퓨터 게임은 때때로 흥미진진했다.
  ❺ Fiona often writes a letter to her aunt. 피오나는 자기 이모에게 자주 편지를 쓴다.

16 too는 긍정문 뒤에 쓰이고, either는 부정문 뒤에 쓰인다.
  ❶ 나는 생선을 좋아한다. 내 여동생도 생선을 좋아한다.
  ❷ 그의 모자는 파란색이다. 그녀의 모자도 파란색이다.
  ❸ 너는 마르지 않았다. 네 남동생도 마르지 않았다.
  ❹ Mary isn't a teacher. Jane isn't a teacher either. 메리는 선생님이 아니다. 제인도 선생님이 아니다.
  ❺ 그는 바이올린을 켜지 못한다. 나도 바이올린을 켜지 못한다.

17 a few(몇몇의, 약간의)는 셀 수 있는 명사 앞에 쓰인다. bread는 셀 수 없는 명사이므로 양이 적음을 나타낼 때는 a little을 쓴다.
  ❶ 그들은 사과를 많이 가지고 있지 않다.
  ❷ 병 안에 물이 많이 있다.
  ❸ 우리는 버터를 많이 가지고 있지 않다.
  ❹ 브라이언은 자기 방에 책이 거의 없다.
  ❺ There was a little bread on the table. 탁자 위에 빵이 조금 있었다.

18 giraffe는 명사이므로 빈칸에는 명사를 꾸며 주는 말인 형용사가 필요하다. '키가 큰'이라는 뜻의 형용사는 tall이다.

19 '항상'이라는 뜻의 빈도부사는 always이다.

20 동사 lived를 꾸며 줄 수 있는 말은 부사이다. '행복하게'라는 뜻의 부사는 happily이다.

21 too는 긍정문 뒤에 쓰이고, either는 부정문 뒤에 쓰인다. 여기서는 부정문이므로 too를 either로 바꿔 쓴다.
  • 그도 요가를 하지 않았다.

22 be동사 뒤에서 '~하다'의 뜻으로 주어의 성질이나 상태를 설명해 주는 것은 형용사이다. brave가 형용사이므로 be동사 is 뒤에 쓴다.
  • 그 남자 배우는 용감하다.

23 형용사가 관사, 지시형용사, 소유격과 함께 명사를 꾸며 주면 형용사는 명사 바로 앞에 쓴다.

24 빈도부사(sometimes)는 일반동사(eat) 앞에 쓴다.

25 수량 형용사(a few)는 명사(birds) 앞에 쓴다.

Wrap Up

47쪽

1 1 앞 2 뒤
2 1 동사 2 부사 3 앞
  4 뒤 5 긍정문 6 부정문

Check up
strong, always, brown, very

만화 해석
짝: 나는 힘이 세.
짝: 나는 항상 아침에 운동을 해.
서니: 갈색 개를 봐.
서니: 너는 무척 빠르구나.

Review Test ⚘ 01
48~51쪽

1 ❶	2 ❷	3 ❺	4 ❸
5 ❶	6 ❺	7 glasses	
8 loaves	9 ❶	10 ❹	11 ❸
12 ❸	13 ❺	14 ❸	15 ❷

16 two caps   17 lots of flowers
18 I ate two bowls of soup.
19 Her mom is strong too.
20 I will always love you.

해설

1 셀 수 있는 명사는 child, bus, deer, ship, boy이고, 셀 수 없는 명사는 gas, rain, Lucy, time, Monday이다.
  ❶ 아이 – 버스 ❷ 가스 – 비 ❸ 사슴 – 루시
  ❹ 시간 – 배 ❺ 남자아이 – 월요일

2 셀 수 있는 명사는 house, watch, knife, man, foot, tree이고, 셀 수 없는 명사는 butter, milk, juice, Christmas이다.
  ❶ 집 – 손목시계 ❷ 버터 – 우유 ❸ 주스 – 칼
  ❹ 남자 – 발 ❺ 크리스마스 – 나무

3 「자음+y」로 끝나는 명사의 복수형은 -y를 -i로 바꾸고 -es를 붙인다.
  ❶ woman – women 여자 – 여자들
  ❷ tomato – tomatoes 토마토 – 토마토들
  ❸ bench – benches 벤치 – 벤치들
  ❹ shelf – shelves 선반 – 선반들
  ❺ 숙녀 – 숙녀들

4 tooth의 복수형은 teeth이다.
  ❶ puppy – puppies 강아지 – 강아지들
  ❷ orange – oranges 오렌지 – 오렌지들
  ❸ 치아 –치아들
  ❹ leaf – leaves 나뭇잎 – 나뭇잎들
  ❺ sheep – sheep 양 – 양들

5 really는 부사이고, 나머지는 형용사이다.
❶ 아주, 정말 ❷ 아름다운 ❸ 어두운 ❹ 싼 ❺ 쉬운

6 rich는 형용사이고, 나머지는 부사이다.
❶ 오늘 밤에, 오늘 밤 ❷ 빨리, 빠르게 ❸ 여기에서 ❹ 갑자기
❺ 부자인, 부유한

7 셀 수 없는 명사인 water는 glass를 사용해서 양을 표현할 수 있다. 셀 수 없는 명사의 여러 수량을 표현할 때는 숫자 뒤의 용기나 단위를 복수형으로 쓴다.

8 셀 수 없는 명사인 bread는 loaf를 사용해서 양을 표현한다. 셀 수 없는 명사의 여러 수량을 표현할 때는 숫자 뒤의 용기나 단위를 복수형으로 쓴다.

9 little은 '거의 없는'이라는 뜻으로 셀 수 없는 명사 앞에 쓰인다.
❶ 잔 안에 커피가 거의 없다.
❷ They don't have much money. 그들은 돈이 많이 없다.
❸ Many people don't like the movie. 많은 사람들이 그 영화를 좋아하지 않는다.
❹ We have little snow in winter. 우리는 겨울에 눈이 거의 내리지 않는다.
❺ A few cats were playing with a ball. 고양이 몇 마리가 공을 가지고 놀고 있었다.

10 too는 긍정문 뒤에 쓰이고, either는 부정문 뒤에 쓰인다. 긍정문이므로 too로 고쳐 쓴다.
• The boys flew the kite too. 그 남자아이들도 연을 날렸다.
❶ 잘 ❷ 꽤 ❸ 매우 ❹ ~도 ❺ 정말, 너무나

11 too는 긍정문 뒤에 쓰이고, either는 부정문 뒤에 쓰인다. 부정문이므로 either로 고쳐 쓴다.
• Sally wasn't playing computer games either. 샐리도 컴퓨터 게임을 하고 있지 않았다.
❶ 매우 ❷ 아직, 아직도 ❸ ~도 ❹ 지금 ❺ 머지않아, 곧

12 빈도부사는 be동사와 조동사 뒤, 일반동사 앞에 쓴다. 따라서 ❸에서 빈도부사 sometimes는 조동사 may 뒤, 일반동사 use 앞에 써야 한다.
❶ 그는 자주 아침 식사를 한다.
❷ 샘은 절대 학교에 지각하지 않는다.
❸ You may sometimes use my computer. 너는 가끔 내 컴퓨터를 사용해도 된다.
❹ 엄마는 보통 일찍 잠자리에 드신다.
❺ 그들은 항상 교실에서 조용하다.

13 lots of는 '많은'이라는 뜻으로 셀 수 있는 명사와 셀 수 없는 명사의 앞에 모두 쓰인다.
• 그는 공원에서 많은 사진들을 찍었다.
❶ 몇 장의 사진들 ❷ 사진이 거의 없는 ❺ 많은 사진들

14 셀 수 없는 명사 앞에서 '조금 있는'이라는 뜻으로 쓰이는 수량 형용사는 a little이다.
• 병에는 소금이 조금 있었다.
❸ 소금이 조금 있는 ❹ 소금이 거의 없는 ❺ 많은 소금

15 '보통'이라는 뜻을 지니는 빈도부사는 usually이다. 빈도부사는 be동사와 조동사 뒤, 일반동사 앞에 쓴다.
❶ 제인은 자주 7시에 학교에 간다.
❷ 제인은 보통 7시에 학교에 간다.
❸ 제인은 항상 7시에 학교에 간다.

16 셀 수 있는 명사(cap)가 둘 이상일 때는 복수형을 쓴다. cap의 복수형은 caps이다.

17 lots of는 '많은'이라는 뜻으로 셀 수 있는 명사와 셀 수 없는 명사의 앞에 모두 쓰인다. 셀 수 있는 명사(flower) 앞에 쓰일 때는 셀 수 있는 명사를 복수형(flowers)으로 쓴다.

18 셀 수 없는 명사의 여러 수량을 표현할 때는 숫자 뒤의 용기나 단위를 복수형으로 쓴다. 그러므로 bowl을 bowls로 바꿔 써야 한다.
• 나는 수프 두 그릇을 먹었다.

19 '~도'라는 뜻으로 too는 긍정문 맨 뒤에 쓰인다.

20 빈도부사는 be동사와 조동사 뒤, 일반동사 앞에 쓴다. will은 조동사이므로 빈도부사 always를 will 뒤에 쓴다.

03 비교 (1)

01 원급, 비교급, 최상급

만화 해석 54쪽

스노위: 서니는 나빠. 잭은 더 나빠.
스노위: 밀러 부인이 가장 나빠.

Grammar Walk! 55쪽

A 1 taller, the tallest
2 faster, the fastest
3 braver, the bravest
4 more interesting, the most interesting
5 dirtier, the dirtiest
6 bigger, the biggest
7 longer, the longest
8 thinner, the thinnest
9 wiser, the wisest
10 easier, the easiest
11 more popular, the most popular
12 better, the best
13 worse, the worst
14 more, the most
15 farther/further, the farthest/the furthest

해설 **A** 1 키가 큰, 키가 더 큰, 키가 가장 큰
2 빠른/빨리, 더 빠른/더 빨리, 가장 빠른/가장 빨리
3 용감한, 더 용감한, 가장 용감한
4 재미있는, 더 재미있는, 가장 재미있는

5 더러운, 더 더러운, 가장 더러운

6 큰, 더 큰, 가장 큰

7 긴, 더 긴, 가장 긴

8 마른, 더 마른, 가장 마른

9 현명한, 더 현명한, 가장 현명한

10 쉬운, 더 쉬운, 가장 쉬운

11 인기 있는, 더 인기 있는, 가장 인기 있는

12 잘, 더 잘, 가장 잘

13 나쁜, 더 나쁜, 가장 나쁜

14 많은, 더 많은, 가장 많은

15 먼/멀리, 더 먼/더 멀리, 가장 먼/가장 멀리

02 비교급, 최상급 문장

만화 해석   56쪽

블래키: 케이크는 파이보다 맛있어.

스노위: 그리고 케이크는 초콜릿보다 맛있어.

블래키&스노위: 케이크가 셋 중에서 가장 맛있어.

Grammar Walk!   57쪽

A
1 stronger
2 thinner
3 faster
4 more beautiful
5 dirtier
6 better
7 the biggest
8 the most interesting
9 the coldest
10 the happiest
11 the nicest
12 the slowest
13 the most careful
14 the heaviest
15 the hardest

해설 **A** 1 그는 우리 아버지보다 힘이 세다.

2 그 책은 그 사전보다 얇다.

3 그 강아지는 그 고양이보다 빨리 달렸다.

4 제니는 자기 어머니보다 아름답다.

5 켈리의 면바지는 토니의 것보다 더럽다.

6 이 야구 방망이는 저것보다 좋다.

7 그것은 세상에서 가장 큰 벌이다.

8 그 마을에서 가장 재미있는 뉴스는 무엇이었니?

9 겨울은 일 년 중 가장 추운 계절이다.

10 어제는 내 생애에서 가장 행복한 날이었다.

11 폴은 내 친구들 중에서 가장 친절하다.

12 세상에서 가장 느린 동물은 무엇이니?

13 그녀는 넷 중에서 가장 신중한 간호사이다.

14 그 사과는 그것들 중에서 가장 무겁다.

15 앨런은 모든 남자아이들 중에서 가장 열심히 공부했다.

Grammar Run!   58~59쪽

A
1 중국보다 크다
2 그보다 유명하다
3 오렌지보다 달콤하다
4 나보다 빨리 걷는다
5 서울보다 덥다
6 대구보다 멀다
7 너보다 건강하다
8 코알라보다 뚱뚱하다
9 가장 일찍
10 가장 편안해
11 가장 크다
12 가장 열심히
13 가장 나쁜
14 가장 맛있었다

B
1 heavier
2 better
3 longer
4 more difficult
5 slower
6 harder
7 stronger
8 the most delicious
9 the hottest
10 the tallest
11 the easiest
12 the most handsome
13 the cutest
14 the most diligent

해설 **B** heavier 더 무거운, the most delicious 가장 맛있는, the hottest 가장 더운, slower 더 느린, the easiest 가장 쉬운, the tallest 가장 키가 큰, better 더 좋은, the most handsome 가장 잘생긴, longer 더 긴, harder 더 열심히, the cutest 가장 귀여운, more difficult 더 어려운, stronger 더 강한, the most diligent 가장 부지런한

Grammar Jump!   60~61쪽

A
1 longer
2 cheaper
3 more famous
4 better
5 faster
6 more popular
7 more beautifully
8 earlier
9 the most honest
10 the busiest
11 the worst
12 the heaviest
13 the highest
14 the largest
15 the most careful

B
1 faster
2 stronger
3 bigger
4 longer
5 farther[further]
6 later
7 more easily
8 largest
9 coldest
10 the oldest
11 the best
12 the highest

13 the most beautiful   14 the most
15 the laziest

Grammar Fly!
62~63쪽

A
1 Zack jumped rope better than Nicole.
2 This apple is smaller than that orange.
3 A tiger is more dangerous than a dog.
4 She answered more quickly than me.
5 The cucumbers were fresher than the potatoes.
6 My puppy was dirtier than your cat.
7 A goldfish is the quietest pet of all.
8 Amy is the wisest girl in my class.
9 The dictionary is the newest of the three.
10 Ken sat on the most comfortable sofa in the store.
11 She is the greatest pianist in Korea.
12 This is the funniest story of them all.

B
1 These slippers are older than the boots.
2 Melons are more expensive than pears.
3 I like juice better than milk.
4 Bora speaks English better than Minji.
5 A shark is more dangerous than a whale.
6 Monica was the youngest in her family.
7 Jun is the best dancer in the village.
8 The cat is the smallest of the four animals.
9 She cooked the worst of the three.
10 Jessica is the tallest in the town.
11 This movie is the most interesting of all.
12 The T-shirt is the nicest of them all.

해설 **A** 1 잭은 줄넘기를 잘했다.
→ 잭은 니콜보다 줄넘기를 잘했다.
2 이 사과는 작다.
→ 이 사과는 저 오렌지보다 작다.
3 호랑이는 위험하다.
→ 호랑이는 개보다 위험하다.
4 그녀는 빨리 대답했다.
→ 그녀는 나보다 빨리 대답했다.
5 오이는 신선했다.
→ 오이는 감자보다 신선했다.
6 내 강아지는 지저분했다.
→ 내 강아지는 네 고양이보다 지저분했다.

7 금붕어는 조용한 애완동물이다.
→ 금붕어는 모든 것 중에서 가장 조용한 애완동물이다.
8 에이미는 현명한 여자아이이다.
→ 에이미는 우리 반에서 가장 현명한 여자아이이다.
9 그 사전은 새것이다.
→ 그 사전은 셋 중에서 가장 새것이다.
10 켄은 편안한 소파에 앉았다.
→ 켄은 그 상점에서 가장 편안한 소파에 앉았다.
11 그녀는 위대한 피아노 연주가이다.
→ 그녀는 한국에서 가장 위대한 피아노 연주가이다.
12 이것은 웃기는 이야기이다.
→ 이것은 그것들 중에서 가장 웃기는 이야기이다.

Grammar & Writing
64~65쪽

A
1 faster than, the fastest
2 more expensive than, the most expensive
3 fatter than, the fattest
4 earlier than, the earliest
5 higher than, the highest

B
1 Philip is heavier than Owen.
2 Cathy is shorter than Owen.
3 Philip is older than Cathy.
4 Cathy is the lightest
5 Owen is the tallest
6 Cathy is the youngest

해설 **A** 1 (빨리, 빠르게) 말이 토끼보다 빨리 달리고 있다.
치타가 셋 중에서 가장 빨리 달리고 있다.
2 (비싼) 재킷이 치마보다 비싸다.
블라우스가 셋 중에서 가장 비싸다.
3 (살이 찐) 팀의 개가 제이크의 개보다 살이 쪘다.
벤의 개가 셋 중에서 가장 살이 쪘다.
4 (일찍) 샐리의 남동생이 샐리보다 일찍 일어났다.
그들의 어머니가 셋 중에서 가장 일찍 일어나셨다.
5 (높은) 한라산이 소백산보다 높다.
백두산이 셋 중에서 가장 높다.

B 1 (무거운, 필립, 오웬) 필립은 오웬보다 무겁다.
2 (키가 작은, 캐시, 오웬) 캐시는 오웬보다 키가 작다.

3 (나이가 많은, 필립, 캐시) 필립은 캐시보다 나이가 많다.

4 (가벼운, 캐시) 캐시는 셋 중에서 가장 가볍다.

5 (키가 큰, 오웬) 오웬은 셋 중에서 가장 키가 크다.

6 (어린, 캐시) 캐시는 셋 중에서 가장 나이가 어리다.

UNIT TEST ·· 03

66~70쪽

1 ❷	**2** ❷	**3** ❹

4 more interesting   **5** the prettiest

6 ❷	**7** ❺	**8** ❹	**9** ❺
10 ❷	**11** ❷	**12** ❺	**13** ❹
14 ❶	**15** ❹	**16** ❸	**17** ❸

18 dirtier **19** colder **20** the biggest

21 This building is taller than the tower.

22 Bob is the most handsome boy in his class.

23 She was the healthiest of them all.

24 Today is warmer than yesterday.

25 The Nile is the longest river in the world.

해설

1 「단모음+단자음」으로 끝나는 형용사나 부사의 비교급은 마지막 자음을 한 번 더 쓰고 -er을 붙이고, 최상급은 앞에 the를 쓰고 -est를 붙인다.
 ❶ 일찍 – 더 일찍 – 가장 일찍
 ❷ hot – hotter – the hottest
   더운 – 더 더운 – 가장 더운
 ❸ 넓은 – 더 넓은 – 가장 넓은
 ❹ 어린 – 더 어린 – 가장 어린
 ❺ 아름다운 – 더 아름다운 – 가장 아름다운

2 bad의 비교급은 worse, 최상급은 the worst이다.
 ❶ 좋은 – 더 좋은 – 가장 좋은
 ❷ bad – worse – the worst
   나쁜 – 더 나쁜 – 가장 나쁜
 ❸ 적은 – 더 적은 – 가장 적은
 ❹ 먼/멀리 – 더 먼/더 멀리 – 가장 먼/가장 멀리
 ❺ 많은 – 더 많은 – 가장 많은

3 2, 3음절 이상의 형용사나 부사는 원급에 more, the most를 붙여 비교급과 최상급을 만든다.
 ❶ 나이가 많은 – 더 나이가 많은 – 가장 나이가 많은
 ❷ 행복한 – 더 행복한 – 가장 행복한
 ❸ 큰 – 더 큰 – 가장 큰
 ❹ famous – more famous – the most famous
   유명한 – 더 유명한 – 가장 유명한
 ❺ 위험한 – 더 위험한 – 가장 위험한

4 than 앞에는 형용사나 부사의 비교급이 나와야 한다. interesting의 비교급은 more interesting이다.

5 '~ 중에서 가장 …한/하게'는 「(the)+최상급+in/of」로 나타

낸다. 「자음+y」로 끝나는 형용사나 부사는 앞에 the를 쓰고 -y를 -i로 바꾸고 -est를 붙여 최상급을 만들므로 pretty의 최상급은 the prettiest이다.

6 '~보다 …한/하게'는 「비교급+than」으로 나타낸다. 「단모음+단자음」으로 끝나는 형용사나 부사의 비교급은 마지막 자음을 한 번 더 쓰고 -er을 붙이므로 fat의 비교급은 fatter이다.
 • 검정 돼지가 분홍 돼지보다 뚱뚱하다.
 ❶ 뚱뚱한 ❷ 더 뚱뚱한 ❸ 가장 뚱뚱한

7 '~ 중에서 가장 …한/하게'는 「(the)+최상급+in/of ~」로 나타낸다. 2, 3음절 이상의 형용사나 부사의 최상급은 원급에 (the) most를 붙여 만든다.
 • 연아는 열한 명 중에서 가장 인기 있는 여자아이이다.
 ❶ 인기 있는 ❹ 더 인기 있는 ❺ 가장 인기 있는

8 '~보다 …한/하게'는 「비교급+than」으로 나타낸다. 그러므로 빈칸에는 than이 알맞다.
 • 레오는 카일보다 빨리 달릴 수 있다.

9 '~ 중에서 가장 …한/하게'는 「(the)+최상급+in/of」로 나타낸다. 2, 3음절 이상의 형용사나 부사의 최상급은 원급에 (the) most를 붙여 만든다.
 • 이 가방은 그 상점에서 가장 비쌌다.
 ❶ 비싼 ❹ 더 비싼 ❺ 가장 비싼

10 '~보다 …한/하게'는 「비교급+than」으로 나타낸다. high의 비교급은 higher이다.
 • 그 노란 새는 그 독수리보다 높이 날았다.
 ❶ 높이 ❷ 더 높이 ❸ 가장 높이

11 '~보다 …한/하게'는 「비교급+than」으로 나타낸다. 내 가방이 피터의 것보다 낡았다는 것은 피터의 것이 더 새것이라는 뜻이므로 빈칸에는 new의 비교급인 newer가 알맞다.
 • 내 가방은 피터의 것보다 낡았다.
 → 피터의 가방은 내 것보다 새것이다.
 ❶ 새것인 ❷ 더 새것인 ❹ 가장 새것인

12 '~ 중에서 가장 …한/하게'는 「(the)+최상급+in/of」로 나타낸다. 크리스가 셋 중에서 가장 어리므로 young의 최상급인 the youngest가 알맞다.
 • 크리스는 열두 살이다. 제니는 열세 살이다. 루시는 열네 살이다.
 → 크리스가 셋 중에서 가장 어리다.
 ❶ 나이가 많은 ❷ 더 나이가 많은 ❸ 가장 나이가 많은
 ❹ 더 어린 ❺ 가장 어린

13 '~보다'라는 의미의 than 앞에는 비교급이 알맞고, '~ 중에서'라는 범위나 대상을 나타내는 말 앞에는 최상급이 알맞다.
 • 그녀는 그보다 무겁다.
 • 케이트는 자기 반에서 가장 키가 작은 여자아이이다.
 ❶ 무거운 – 키가 작은
 ❷ 더 무거운 – 더 키가 작은
 ❸ 가장 무거운 – 가장 키가 작은
 ❹ 더 무거운 – 가장 키가 작은
 ❺ 가장 무거운 – 더 키가 작은

14 '~ 중에서 가장 …한/하게'는 「(the)+최상급+in/of」이므로 빈칸에는 최상급이 들어가야 한다. 그러므로 ❶은 빈칸에 알맞지 않다.

- 벤슨 씨는 그 마을에서 _____ 요리사였다.
❷ 가장 좋은/가장 잘 ❸ 가장 상냥한 ❹ 가장 나이가 많은
❺ 가장 잘생긴

15 '~보다 …한'은 「비교급+than」이므로 빈칸에는 비교급이 들어가야 한다. 그러므로 최상급인 ❹는 빈칸에 알맞지 않다.
- 그 어린이는 그 아기보다 _____ 하다.
❶ 더 키가 큰 ❷ 더 힘이 센 ❸ 더 귀여운 ❹ 가장 힘이 센
❺ 더 빠른

16 '~보다 …한'은 「비교급+than」이므로 ❸에서 farer를 far(먼)의 비교급인 farther[further](더 먼)로 바꿔야 한다.
❶ 영어는 수학보다 어렵다.
❷ 기린은 그 동물들 중에서 가장 키가 크다.
❸ Busan is farther[further] than Pohang from Seoul. 서울에서 부산은 포항보다 멀다.
❹ 낙동강은 한강보다 길다.
❺ 존은 모든 남자아이들 중에서 가장 용감했다.

17 '~ 중에서 가장 …한/하게'는 「(the)+최상급+in/of」이므로 ❸에서 hotter를 the hottest로 바꿔야 한다.
❶ 우리 아버지는 심프슨 씨보다 바쁘시다.
❷ 호주는 한국보다 크다.
❸ August is the hottest month of the year in the U.S. 8월은 미국에서 일 년 중에서 가장 더운 달이다.
❹ 샐리는 자기 반에서 가장 부지런하다.
❺ 한라산은 태백산보다 높다.

18 '~보다 …한'은 「비교급+than」으로 나타내므로 빈칸에는 dirty의 비교급인 dirtier가 알맞다.

19 '~보다 …한'은 「비교급+than」으로 나타내므로 빈칸에는 cold의 비교급인 colder가 알맞다.

20 '~ 중에서 가장 …한/하게'는 「(the)+최상급+in/of」이므로 빈칸에는 big의 최상급인 the biggest가 알맞다.

21 '~보다 …한'은 「비교급+than」으로 나타낸다. 이때 than 뒤에 비교 대상을 쓴다는 점에 주의하도록 한다.

22 '~ 중에서 가장 …한/하게'는 「(the)+최상급+in/of」로 나타낸다.

23 '~ 중에서 가장 …한/하게'는 「(the)+최상급+in/of」로 나타낸다.

24 '~보다 …한'은 「비교급+than」으로 나타낸다. warm의 비교급은 warmer이다.

25 '~ 중에서 가장 …한/하게'는 「(the)+최상급+in/of」로 나타낸다. long의 최상급은 the longest이다.

Wrap Up
71쪽

1 | 1 -er | 2 -est | 3 자음 |
| 4 -ier | 5 -iest | 6 more |
| 7 the | 8 most | |

2 | 1 than | 2 in | 3 of |

Check up
most, than, the

만화 해석

엄마: 우리는 소파 하나를 원해요.
점원: 이것이 우리 가게에서 가장 편안한 소파예요.
잭: 저 소파가 이것보다 편안해 보여요.
점원: 네, 이것이 세상에서 가장 편안한 소파예요.

Unit 04 비교 (2)

01 원급을 사용한 비교

만화 해석 74쪽

블래키: 나는 너만큼 빨리 달릴 수 있어.
스노위: 하지만 너는 쥐만큼 빠르지 않구나.

Grammar Walk!
75쪽

A 1 My grandma is as healthy as him.
2 He ate as slowly as his friend.
3 Her hair is as white as snow.
4 His story is as sad as Ms. Bronte's.
5 Kelly plays computer games as well as me.
6 This classroom is not as large as that one.
7 My sister is not as free as you.
8 Miranda didn't kick the ball as far as the player.
9 Paper is not as heavy as stone.
10 You are not as polite as your brother.
11 They got out of the building as soon as they could.
12 We should run as fast as we can.
13 Please speak as loudly as you can.
14 My brother met Jina as often as he could.
15 Emily has to finish her homework as quickly as she can.

해설 **A** 1 우리 할머니는 그만큼 건강하시다.
2 그는 자기 친구만큼 천천히 먹었다.
3 그녀의 머리카락은 눈만큼 희다.
4 그의 이야기는 브론테 씨의 것만큼 슬프다.
5 켈리는 나만큼 컴퓨터 게임을 잘한다.
6 이 교실은 저 교실만큼 크지 않다.
7 내 여동생은 너만큼 한가하지 않다.
8 미란다는 그 선수만큼 멀리 공을 차지 않았다.
9 종이는 돌만큼 무겁지 않다.

10 너는 네 남동생만큼 예의 바르지 않다.
11 그들은 할 수 있는 한 빨리 그 건물에서 나갔다.
12 우리는 할 수 있는 한 빨리 달리는 것이 좋겠다.
13 할 수 있는 한 큰 소리로 말해 주세요.
14 우리 형은 할 수 있는 한 자주 지나를 만났다.
15 에밀리는 할 수 있는 한 빨리 숙제를 끝마쳐야 한다.

02 비교급과 최상급의 다양한 표현

만화 해석 76쪽

서니: 수는 우리 반에서 가장 예쁜 여자아이들 중 한 명이야.
서니: 하지만 나는 그 애보다 훨씬 예뻐.

Grammar Walk! 77쪽

A 1 ❹ 2 ❸ 3 ❹ 4 ❸
5 ❸ 6 ❷ 7 ❷ 8 ❷
9 ❷ 10 ❷ 11 ❹ 12 ❹
13 ❹ 14 ❹ 15 ❹

해설 **A** 1 그 기차는 점점 더 빨리 달렸다.
2 제니는 점점 더 아름다워졌다.
3 날씨가 점점 더 더워지고 있다.
4 그 경기는 점점 더 흥미진진해졌다.
5 닉은 점점 더 이상해졌다.
6 부산은 진해보다 훨씬 크다.
7 서울은 김포보다 훨씬 붐빈다.
8 그 기린의 목은 그 토끼의 목보다 훨씬 길다.
9 금은 은보다 훨씬 비싸다.
10 버스는 자전거보다 훨씬 빠르다.
11 그는 세상에서 가장 현명한 사람들 중 한 명이다.
12 그녀는 한국에서 가장 유명한 사람들 중 한 명이다.
13 이것은 우리 마을에서 가장 새 건물들 중 하나이다.
14 티나는 우리 반에서 가장 노래를 잘하는 사람들 중 한 명이다.
15 링컨은 미국에서 가장 정직한 사람들 중 한 명이다.

Grammar Run! 78~79쪽

A 1 hard 2 expensive 3 as
4 as 5 long 6 close
7 as 8 wide 9 as
10 old 11 carefully 12 she could
13 as 14 high 15 he can

B 1 and 2 warmer 3 healthier
4 taller 5 more 6 much
7 a lot 8 still 9 even
10 far 11 animals 12 of
13 the funniest 14 one
15 the most

해설 **A** 1 제임스는 너만큼 열심히 공부했다.
2 내 자전거는 네 것만큼 비싸다.
3 그는 아놀드만큼 힘이 세다.
4 나는 그녀만큼 자주 도서관에 갔다.
5 그의 코는 피노키오의 것만큼 길다.
6 그 공원은 병원만큼 가깝지 않다.
7 애나는 제인만큼 아름답게 노래하지 않았다.
8 템스 강은 한강만큼 넓지 않다.
9 우리 강아지는 네 것만큼 뚱뚱하지 않다.
10 이 건물은 저 건물만큼 오래되지 않았다.
11 그는 할 수 있는 한 조심스럽게 운전했다.
12 세실은 할 수 있는 한 자주 운동했다.
13 할 수 있는 한 빨리 그 질문에 대답해 주세요.
14 그는 할 수 있는 한 높이 손을 들었다.
15 내 아들은 할 수 있는 한 빨리 달려야 한다.

B 1 그 시험은 점점 더 어려워지고 있었다.
2 지구는 점점 더 따뜻해지고 있다.
3 제이슨은 점점 더 건강해졌다.
4 그 나무는 점점 더 키가 커졌다.
5 이 면바지는 점점 더 인기가 많아지고 있다.
6 내 사촌은 나보다 훨씬 게으르다.
7 이 뱀은 저 밧줄보다 훨씬 길다.
8 그 양파들이 당근들보다 훨씬 신선했다.
9 다이아몬드는 돌보다 훨씬 단단하다.
10 첸의 영어는 메이의 영어보다 훨씬 안 좋았다.
11 치타는 세상에서 가장 빠른 동물들 중 하나이다.
12 그는 캐나다에서 가장 유명한 남자 배우들 중 한 명이다.
13 이것은 세계에서 가장 웃기는 책들 중 한 권이다.
14 스티브 잡스는 세계에서 가장 똑똑한 사람들 중 한 명이었다.
15 전갈은 세상에서 가장 위험한 동물들 중 하나이다.

Grammar Jump! 80~81쪽

A 1 호랑이만큼 용감한
2 독수리만큼 높이
3 린다만큼 잘

4 저 별만큼 밝지 않은

5 오늘만큼 춥지 않은

6 나비만큼 화려하지 않은

7 점점 더 따뜻한

8 점점 더 지루한

9 점점 더 야윈

10 토끼보다 훨씬 큰

11 너보다 훨씬 졸린

12 (내가) 할 수 있는 한 자주

13 (그가) 할 수 있는 한 열심히

14 가장 훌륭한 요리사들 중 한 명

15 가장 인기 있는 운동들 중 하나

B 1 as quietly as Alex

2 as hot as yesterday

3 as pretty as her sister

4 as early as her mom

5 not as young as Ms. Kim

6 faster and faster

7 fatter and fatter

8 more and more expensive

9 much smaller

10 a lot more comfortable

11 even longer

12 as quickly as, could

13 as far as, could

14 the most famous parks

15 the kindest doctors

해설 A 1 그는 호랑이만큼 용감하다.

2 그 연은 독수리만큼 높이 날았다.

3 켄은 린다만큼 잘 노래하고 있었다.

4 달이 저 별만큼 밝지 않다.

5 어제는 오늘만큼 춥지 않았다.

6 나방은 나비만큼 화려하지 않다.

7 날씨가 점점 더 따뜻해지고 있다.

8 그 경기는 점점 더 지루해졌다.

9 산드라는 점점 더 야위었다.

10 곰은 토끼보다 훨씬 크다.

11 잭은 너보다 훨씬 졸려 보인다.

12 나는 할 수 있는 한 자주 우리 조부모님을 찾아뵌다.

13 그는 할 수 있는 한 열심히 공부했다.

14 폴은 세계에서 가장 훌륭한 요리사들 중 한 명이다.

15 축구는 세계에서 가장 인기 있는 운동들 중 하나 이다.

Grammar Fly! 82~83쪽

A 1 Your voice is as soft as his voice.

2 He rides a bike as carefully as his brother.

3 Judy is not as busy as Brian.

4 This chair is not as strong as that chair.

5 The days become shorter and shorter in winter.

6 The noise became louder and louder.

7 The cat is much[still/a lot/far/even] bigger than the puppy.

8 P.E. is far more interesting than music.

9 Let's go home as early as possible.

10 He went to the hospital as quickly as he could.

11 Kim Yuna is one of the greatest skaters in the world.

12 *Henry's Steak* is one of the worst restaurants in this city.

B 1 The car is as cheap as the computer.

2 The soup is as hot as the water.

3 Golf is not as dangerous as ice hockey.

4 I was not as sad as her.

5 It's getting brighter and brighter.

6 Alice grew taller and taller.

7 Cecil was a lot lazier than her sister.

8 Kate threw the ball even farther than him.

9 I'll be back as soon as I can.

10 My dad drank coffee as slowly as he could.

11 The Sahara Desert is one of the largest deserts in Africa.

12 Hercules was one of the bravest heroes in Greece.

Grammar & Writing 84~85쪽

A 1 one of the smartest animals

2 one of the heaviest animals

3 one of the laziest animals

4 one of the most crowded cities

5 one of the greatest buildings

6 one of the largest jungles

B **1** as old as **2** not as old as
　　3 as tall as **4** not as tall as
　　5 as fast as **6** not as fast as

해설 **A** **1** (영리한, 동물) 침팬지는 세상에서 가장 영리한 동물들 중 하나이다.
　　2 (무거운, 동물) 고래는 세상에서 가장 무거운 동물들 중 하나이다.
　　3 (게으른, 동물) 판다는 세상에서 가장 게으른 동물들 중 하나이다.
　　4 (붐비는, 도시) 뉴욕은 세계에서 가장 붐비는 도시들 중 하나이다.
　　5 (위대한, 건물) 피라미드는 세계에서 가장 위대한 건물들 중 하나이다.
　　6 (큰, 정글) 아마존 정글은 세계에서 가장 큰 정글들 중 하나이다.

　　B **1** 수는 제프만큼 나이가 많다. (나이가 많은)
　　2 제프는 토니만큼 나이가 많지 않다. (~아니다, 나이가 많은)
　　3 토니는 수만큼 키가 크다. (키가 큰)
　　4 제프는 수만큼 키가 크지 않다. (~아니다, 키가 큰)
　　5 제프는 수만큼 빨리 달린다. (빨리/빠르게)
　　6 토니는 수만큼 빠르지 않다. (~아니다, 빠른)

Unit Test ·· 04
86~90쪽

1 ❶	2 ❷	3 ❸	4 ❹
5 ❺	6 ❹	7 ❶	8 ❶
9 ❶	10 ❸	11 cities	12 good
13 even	14 ❷	15 ❸	16 ❷

17 ❷　　18 He walked as quickly as Emily.
19 Paul was one of the most honest boys in the village.　　20 She is much more famous than the actor.　　21 as big as
22 thinner and thinner　　23 This computer is much slower than that computer.
24 My mom drank water as often as she could.　　25 This is one of the most famous hospitals in Korea.

해설

1 '~만큼 …하지 않은/않게'는 「not as+원급+as」로 나타낸다.

16 정답 및 해설

그러므로 빈칸에는 원급인 strong이 알맞다.
　• 나는 그만큼 힘이 세지 않다.
　❶ 힘이 센 ❷ 더 힘이 센 ❸ 가장 힘이 센
2 '점점 더 ~한/하게'는 「비교급+and+비교급」으로 나타낸다. 그러므로 빈칸에는 long의 비교급인 longer가 알맞다.
　• 밤이 점점 더 길어졌다.
　❶ 긴 ❷ 더 긴 ❸ 가장 긴
3 '가장 ~한 …들 중 하나'라는 뜻으로 「one of the+최상급+복수명사」를 쓴다. 그러므로 빈칸에는 rich의 최상급인 the richest가 알맞다.
　• 빌 게이츠는 세계에서 가장 부유한 사람들 중 한 명이다.
　❶ 부유한 ❷ 더 부유한 ❸ 가장 부유한
4 '~만큼 …한/하게'는 「as+원급+as」로 나타낸다. 따라서 비교급인 ❹는 빈칸에 알맞지 않다.
　• 이 공은 저것만큼 _____하다.
　❶ 무거운 ❷ 빨간색의 ❸ 새로운 ❹ 더 오래된 ❺ (값이) 싼
5 '~가 할 수 있는 한 …하게'는 「as+원급+as+주어+can[could]」로 나타낸다. ❺는 비교급이므로 빈칸에 알맞지 않다.
　• 수지는 할 수 있는 한 _____ 자동차를 운전했다.
　❶ 안전하게 ❷ 천천히 ❸ 자주 ❹ 조심스럽게 ❺ 더 빨리
6 '점점 더 ~한/하게'는 「비교급+and+비교급」으로 나타낸다. more를 붙여 비교급을 만드는 형용사나 부사는 「more and more+원급」으로 나타낸다.
　• 그 야구 경기는 점점 더 흥미진진해지고 있었다.
7 '~만큼 …한/하게'는 「as+원급+as」로 나타낸다. 그러므로 as와 as 사이에 원급인 big이 들어간 ❶이 알맞다.
　• 내 신발은 그의 것만큼 크다.
8 '~가 할 수 있는 한 …하게'는 「as+원급+as+주어+can[could]」로 나타낸다. 여기에서는 문장의 시제가 과거(visited)이므로 could를 써야 한다.
　• 제임스는 자기 할아버지를 할 수 있는 한 자주 찾아뵈었다.
9 '훨씬 ~한/하게'라는 뜻으로 비교급을 강조할 때는 비교급 앞에 much, a lot, far, still, even 등을 쓴다. 비교급 앞에는 very를 쓸 수 없다.
　• 태양은 달보다 훨씬 크다.
　❶ 훨씬 ❷ ~도, 너무 ❸ ~도 ❹ 머지않아 ❺ 자주
10 '가장 ~한 …들 중 하나'라는 뜻으로 「one of the+최상급+복수명사」를 쓴다. 그러므로 taller를 최상급인 the tallest로 바꿔 써야 한다.
　• 브래드는 자기 반에서 가장 키가 큰 남자아이들 중 한 명이다.
　❶ 키가 큰 ❸ 가장 키가 큰
11 '가장 ~한 …들 중 하나'라는 뜻으로 「one of the+최상급+복수명사」를 쓴다. 그러므로 복수명사인 cities가 알맞다.
12 '~만큼 …한/하게'는 「as+원급+as」로 나타낸다. 그러므로 원급인 good이 알맞다.
13 '훨씬 ~한/하게'라는 뜻으로 비교급을 강조할 때는 비교급 앞에 much, a lot, far, still, even 등을 쓸 수 있고, very는 쓸 수 없다.
14 '~가 할 수 있는 한 …하게'는 「as+원급+as+주어+can[could]」로, '~만큼 …하지 않은/않게'는 「not as+원급+as」

로 나타낸다. 그러므로 빈칸에는 공통으로 as가 알맞다.
- (네가) 할 수 있는 한 일찍 일어나라.
- 내 머리는 네 머리만큼 길지 않다.

15 '점점 더 ~한/하게'는 「비교급+and+비교급」으로 나타내고, more를 붙여 비교급을 만드는 형용사나 부사는 「more and more+원급」으로 나타낸다. 그러므로 빈칸에는 공통으로 and가 알맞다.
- 그 여자아이는 점점 더 크게 울었다.
- 날씨가 점점 더 더워지고 있다.

16 '훨씬 ~한/하게'라는 뜻으로 비교급을 강조할 때는 비교급 앞에 much, a lot, far, still, even 등을 쓴다.
❶ The cat grew fatter and fatter. 그 고양이는 점점 더 살이 쪘다.
❷ 내 가방은 네 것보다 훨씬 크다.
❸ Call the police as soon as you can. 할 수 있는 한 빨리 경찰에 전화해라.
❹ Jim is as handsome as his brother. 짐은 자기 형만큼 잘생겼다.
❺ Mt. Everest is one of the highest mountains in the world. 에베레스트 산은 세계에서 가장 높은 산들 중 하나이다.

17 '점점 더 ~한/하게'는 「비교급+and+비교급」으로 나타낸다.
❶ I am as brave as him. 나는 그만큼 용감하다.
❷ 날씨가 점점 더 추워지고 있다.
❸ Sumi didn't draw pictures as well as Bora. 수미는 보라만큼 그림을 잘 그리지 않았다.
❹ The boy is much[still/even/a lot/far] smarter than his friend. 그 남자아이는 자기 친구보다 훨씬 영리하다.
❺ This is one of the cheapest skirts in the shop. 이것은 그 상점에서 가장 싼 치마들 중 하나이다.

18 '~만큼 …한/하게'는 「as+원급+as」로 나타낸다. 그러므로 than을 as로 바꿔 써야 한다.
- 그는 에밀리만큼 빨리 걸었다.

19 '가장 ~한 …들 중 하나'라는 뜻으로 「one of the+최상급+복수명사」를 쓴다. 그러므로 boy를 복수명사인 boys로 바꿔 써야 한다.
- 폴은 마을에서 가장 정직한 남자아이들 중 한 명이었다.

20 '~보다 더 …한/하게'는 「비교급+than」으로 나타낸다. famous의 비교급은 more famous이고, much는 비교급을 강조하는 말이므로 혼동하지 않도록 한다.
- 그녀는 그 남자 배우보다 훨씬 유명하다.

21 '~만큼 …하지 않은/않게'는 「not as+원급+as」로 나타낸다. 그러므로 as와 as 사이에 원급인 big을 쓴다.

22 '점점 더 ~한/하게'는 「비교급+and+비교급」으로 나타낸다. thin의 비교급은 thinner이다.

23 '~보다 …한/하게'는 「비교급+than」으로 나타내고, 비교급을 강조하는 말인 much는 비교급인 slower 앞에 쓴다.

24 '~가 할 수 있는 한 …하게'는 「as+원급+as+주어+can[could]」로 나타낸다. 여기에서는 문장의 시제가 과거(drove)이므로 could를 쓴다.

25 '가장 ~한 …들 중 하나'는 「one of the+최상급+복수명사」로 쓴다.

Wrap Up
91쪽

1   1   as   2   as   3   can
    4   could   5   possible
2   1   비교급   2   비교급   3   much
    4   even   5   복수명사

Check up
the strongest, strong, stranger, stranger, much

만화 해석
짹: 슈퍼맨은 세상에서 가장 힘이 센 사람들 중 한 명이야.
짹: 나는 슈퍼맨만큼 힘이 세.
써니: 너는 점점 더 이상해지고 있구나.
써니: 슈퍼맨이 너보다 훨씬 힘이 세.

REVIEW TEST · 02
92~95쪽

1 ❶	2 ❷	3 ❺	4 ❶
5 ❶	6 more and more famous		
7 as	8 ❹	9 ❺	10 ❷
11 ❷	12 ❸	13 ❷	14 ❶
15 ❶	16 He is as handsome as you.		

17 The balloon became bigger and bigger.
18 His cat is a lot lazier than mine.
19 It is one of the most interesting books in the world.   20 Danny cooks as well as his father.

해설
1 bad의 비교급은 worse, 최상급은 the worst이다.
❶ 나쁜 – 더 나쁜 – 가장 나쁜
❷ much – more – the most
많은 – 더 많은 – 가장 많은
❸ wide – wider – the widest
넓은 – 더 넓은 – 가장 넓은
❹ healthy – healthier – the healthiest
건강한 – 더 건강한 – 가장 건강한
❺ expensive – more expensive – the most expensive 비싼 – 더 비싼 – 가장 비싼
2 than은 비교급과 함께 쓰여 「비교급+than」의 형태로 '~보다 …한/하게'의 뜻을 나타낸다. 그러므로 빈칸에는 smart의 비교급인 smarter가 알맞다.

- 그는 자기 사촌보다 영리하다.
  ❶ 영리한 ❷ 더 영리한 ❸ 가장 영리한

3 '~ 중에서 가장 …한/하게'는 「(the)+최상급+in/of」로 나타 낸다. 그러므로 빈칸에는 popular의 최상급인 the most popular가 알맞다.
- 수는 자기 반에서 가장 인기가 있었다.
  ❹ 더 인기 있는 ❺ 가장 인기 있는

4 '~만큼 …한/하게'는 「as+원급+as」로 나타낸다. 그러므로 빈칸에는 원급인 old가 알맞다.
- 내 여동생은 너만큼 나이가 들었다.
  ❶ 나이 든 ❷ 더 나이가 든 ❸ 가장 나이 든

5 '가장 ~한 …들 중 하나'는 「one of the+최상급+복수명사」 이고, '~ 중에서 가장 …한/하게'는 「(the)+최상급+in/of」이 므로 빈칸에는 공통으로 of가 알맞다.
- 잭은 자기 반에서 가장 친절한 남자아이들 중 한 명이다.
- 루시는 셋 중에서 가장 무겁다.

6 '점점 더 ~한/하게'는 「비교급+and+비교급」으로 나타내는 데, more를 붙여 비교급을 만드는 형용사나 부사는 「more and more+원급」으로 나타낸다.

7 '~만큼 …한/하게'는 「as+원급+as」로 나타낸다. 그러므로 as가 알맞다.

8 브라이언은 저스틴만큼 나이가 많지 않으므로 ❹가 내용과 일 치한다. '~만큼 …하지 않은'은 「not as+원급+as」로 나타 낸다.
  ❶ 브라이언은 저스틴만큼 나이가 들었다.
  ❷ 저스틴은 브라이언보다 키가 크다.
  ❸ 저스틴은 브라이언보다 무겁다.
  ❹ 브라이언은 저스틴만큼 나이가 들지 않았다.
  ❺ 브라이언은 저스틴보다 키가 작다.

9 '가장 ~한 …들 중 하나'는 「one of the+최상급+복수명사」 이므로 ❺ animal을 복수형인 animals로 바꿔 써야 한다.
- 고래는 세상에서 가장 큰 동물들 중 하나이다.

10 '훨씬 ~한/하게'라는 뜻으로 비교급을 강조할 때는 비교급 앞 에 much, a lot, far, still, even 등을 쓴다. ❷ very는 비교 급 앞에 쓸 수 없다.
- 지아는 준수보다 훨씬 부지런하다.

11 '훨씬 ~한/하게'라는 뜻으로 비교급을 강조할 때는 비교급 앞 에 much, a lot, far, still, even 등을 쓴다. very는 비교급 앞에 쓸 수 없다.
- 나는 전보다 훨씬 힘이 세진 것을 느꼈다.

12 '점점 더 ~한/하게'는 「비교급+and+비교급」으로, '~ 중에서 가장 …한/하게'는 「(the)+최상급+in/of」로 나타낸다.
- 지구는 점점 더 따뜻해지고 있다.
- 크리스탈은 그 병원에서 가장 훌륭한 의사이다.

13 '~만큼 …하지 않은/않게'는 「not as+원급+as」로, '~보다 …한/하게'는 「비교급+than」으로 나타낸다.
- 이 자동차는 저 자동차만큼 작지 않다.
- 그 바지는 그 재킷보다 훨씬 싸다.

14 '~보다 …한/하게'는 「비교급+than」으로 나타낸다. beautiful 의 비교급은 more beautiful이다.
  ❶ I am more beautiful than you.

15 「as+원급+as+주어+can[could]」는 '~가 할 수 있는 한 …하게'의 뜻으로, 「as+원급+as possible」로 바꿔 쓸 수 있다.
- 나는 할 수 있는 한 일찍 일어날 것이다.
  = 나는 가능한 한 일찍 일어날 것이다.

16 '~만큼 …한/하게'는 「as+원급+as」로 나타낸다. as와 as 사이에 원급인 handsome을 쓴다.

17 '점점 더 ~한/하게'는 「비교급+and+비교급」으로 나타낸다. big의 비교급은 bigger이다.

18 '~보다 …한/하게'는 「비교급+than」으로 나타내고, 비교급을 강조하는 말인 a lot은 비교급인 lazier 앞에 쓴다.

19 '가장 ~한 …들 중 하나'는 「one of the+최상급+복수명사」 로 나타낸다.

20 '~만큼 …한/하게'는 「as+원급+as」로 나타낸다.

Unit 05 to부정사 (1)

01 명사처럼 쓰이는 to부정사 (1)

만화 해석 98쪽

서니: 나는 바이올린 켜는 것을 좋아해.
서니: 나는 바이올리니스트가 되고 싶어.

Grammar Walk! 99쪽

A 1 to find   2 to swim
   3 to catch   4 to fly
   5 to throw   6 to jog
   7 to write   8 to tie
   9 to feed   10 to mix

B 1 I like to ride a bike.
   2 We love to wear jeans.
   3 Nami hates to read books.
   4 He decided to study math.
   5 Fiona started to cook.
   6 I planned to travel this winter.
   7 Shrek likes to clean the room.
   8 They wanted to eat the soup.
   9 I hope to see you soon.
   10 Junsu began to sing suddenly.

해설 A 1 찾다, 발견하다   2 수영하다
         3 잡다, 받다   4 날다
         5 던지다   6 조깅을 하다

7	쓰다		8	묶다	
9	먹이를 주다		10	섞다	

B 1 나는 자전거 타는 것을 좋아한다.
2 우리는 면바지를 입는 것을 무척 좋아한다.
3 나미는 책 읽는 것을 매우 싫어한다.
4 그는 수학을 공부하기로 결심했다.
5 피오나는 요리하기 시작했다.
6 나는 이번 겨울에 여행을 갈 계획이었다.
7 슈렉은 방 청소하는 것을 좋아한다.
8 그들은 그 수프를 먹고 싶어 했다.
9 나는 머지않아 너를 보기를 바란다.
10 준수는 갑자기 노래하기 시작했다.

02 명사처럼 쓰이는 to부정사 (2)

만화 해석   100쪽

스노위: 내 꿈은 하늘을 나는 거야.
스노위: 나는 것은 쉽지 않구나.

Grammar Walk!   101쪽

A 1 To find my watch was hard.
2 To go camping is exciting.
3 To follow the traffic rules is important.
4 Her dream was to become a vet.
5 My hobby is to sew.
6 The old man's goal was to travel around the world.

B 1 to leave 2 to learn 3 to sell
4 to run 5 to play 6 to watch

해설 **A** 1 내 손목시계를 찾는 것은 힘들었다.
2 캠핑하러 가는 것은 신 난다.
3 교통 규칙을 따르는 것은 중요하다.
4 그녀의 꿈은 수의사가 되는 것이었다.
5 내 취미는 바느질하는 것이다.
6 그 나이 든 남자의 목표는 세계를 여행하는 것이 었다.

Grammar Run!   102~103쪽

A 1 to drink 2 to go   3 to cook
4 to become 5 to climb 6 to play
7 to exercise 8 to learn 9 to wear

10 to lend 11 to turn 12 to have
13 to cry   14 to call   15 to dance

B 1 To drive 2 To read 3 To speak
4 To catch 5 To draw 6 To have
7 To swim 8 To play 9 to collect
10 to teach 11 to live   12 to become
13 to take   14 to build   15 to win

해설 **A** 1 나는 물을 조금 마시고 싶다.
2 우리 아버지는 조깅하러 가는 것을 좋아하시지 않는다.
3 그는 한국 음식을 요리하는 것을 매우 좋아한다.
4 샘은 기술자가 되기로 결심했다.
5 우리는 그 산을 오르기 시작했다.
6 재닛은 배드민턴 치는 것을 좋아한다.
7 문 선생님은 운동하는 것을 무척 싫어하신다.
8 나는 이번 여름에 일본어를 배울 계획이다.
9 너는 안전띠를 매야 한다.
10 에드가는 내게 그 책을 빌려 주기로 약속했다.
11 그녀의 어머니는 램프를 끄는 것을 잊어버리셨다.
12 그들은 새 탁자를 가지고 싶어 했다.
13 그 쌍둥이는 울기 시작했다.
14 그녀는 오늘 밤에 잭에게 전화하기로 결심했다.
15 그의 할머니는 춤추는 것을 배우고 계신다.

B 1 운전을 하는 것은 신이 난다.
2 책을 읽는 것은 때때로 지루하다.
3 중국어를 말하는 것은 어렵다.
4 그 공을 잡는 것은 쉬웠다.
5 그림을 그리는 것은 재미있다.
6 아침 식사를 하는 것은 우리 건강에 좋다.
7 한강을 헤엄쳐 건너는 것은 위험하다.
8 바이올린을 켜는 것은 재미있다.
9 내 취미는 동전을 수집하는 것이다.
10 그녀의 직업은 영어를 가르치는 것이다.
11 제이크의 소원은 자기 가족과 함께 사는 것이었다.
12 그의 꿈은 군인이 되는 것이다.
13 그녀의 취미는 사진을 찍는 것이었다.
14 팀의 직업은 배를 만드는 것이다.
15 수의 목표는 그 대회에서 우승하는 것이다.

Grammar Jump!   104~105쪽

A 1 사 주기 2 입는 것 3 통과[합격]하기

4	달리기	5	점프하기[뛰기]
6	돌려주는[반납하는] 것	7	타는 것
8	마시는 것	9	뜨는[짜는] 것
10	춤추는 것		
11	사는 것	12	듣는 것

B
1	to go	2	to use	3	to buy
4	to win	5	to visit	6	to read
7	to meet	8	To tell	9	To keep
10	To climb	11	To write	12	to get
13	to travel	14	to become	15	to fly

해설 **B**
1 나는 달에 가기를 바란다.
2 사람들은 지폐를 사용하기 시작했다.
3 켈리는 그 치마를 사기로 결정했다.
4 호진이는 그 경주에서 이기고 싶어 했다.
5 나는 뉴욕을 방문할 계획이다.
6 민수는 영어 알파벳을 읽는 것을 배웠다.
7 나는 내 친구들을 만나기로 약속했다.
8 거짓말을 하는 것은 잘못된 것이다.
9 약속을 지키는 것은 중요하다.
10 저 산을 오르는 것은 위험하다.
11 소설을 쓰는 것은 롤링 씨의 직업이었다.
12 그의 목표는 좋은 점수를 받는 것이었다.
13 수미의 소원은 호주로 여행을 가는 것이다.
14 우리 어머니의 꿈은 유명한 가수가 되는 것이었다.
15 조시의 소원은 제트기를 조종하는 것이다.

Grammar Fly!
106~107쪽

A
1 to run in the park
2 to become a movie star
3 to swim in the pool
4 to exercise
5 to write letters
6 to wash her hands
7 To play basketball
8 To learn Chinese
9 To feed the goats
10 to become a scientist
11 to have a pretty doll
12 to teach French

B
1 Anna wants to buy a balloon.
2 They plan to visit the moon.
3 It began to snow.
4 Kelly loves to watch baseball games.
5 The child learned to speak Korean.
6 To jump high isn't easy.
7 To climb a tree is difficult.
8 To get a good score is my goal.
9 Her job is to sell flowers.
10 My wish is to live happily.
11 Joe's hope is to join the team.
12 Judy's hobby is to read comic books.

Grammar & Writing
108~109쪽

A
1 wants to play chess
2 wants to ride a bike
3 wants to play the violin
4 wants to go swimming
5 wants to watch TV
6 wants to play soccer

B
1 to sing
2 to dance
3 to go to the dentist
4 to go to the concert
5 to become
6 To travel around the world

해설 **A**
1 (체스를 두다) 잭은 체스를 두고 싶어 한다.
2 (자전거를 타다) 필립은 자전거를 타고 싶어 한다.
3 (바이올린을 켜다) 피오나는 바이올린을 켜고 싶어 한다.
4 (수영하러 가다) 메기는 수영하러 가고 싶어 한다.
5 (TV를 보다) 앨리스는 TV를 보고 싶어 한다.
6 (축구를 하다) 데이비드는 축구를 하고 싶어 한다.

B
1 나는 노래 부르는 것을 좋아한다. (노래하다)
2 나는 춤을 추는 것도 좋아한다. (춤추다)
3 나는 치과에 가는 것을 무척 싫어한다. (치과에 가다)
4 나는 이번 주말에 콘서트에 갈 계획이다. (콘서트에 가다)
5 내 소원은 유명한 가수가 되는 것이다. (~이 되다)
6 세계를 여행하는 것이 내 꿈이다. (세계를 여행하다)

UNIT TEST ·· 05
110~114쪽

1 ❸	2 ❹	3 ❸	4 ❸
5 ❹	6 To play	7 become	8 ❸
9 ❹	10 ❹	11 ❹	12 ❺
13 ❹	14 ❸	15 ❹	16 ❸
17 ❺	18 to go	19 to fix	

20 to draw

21 Susan didn't want to drink juice.

22 To eat too much is bad for your health.

23 His hobby is to sew.

24 To make cake isn't[is not] easy.

25 Their goal is to win the game.

해설

1 빈칸이 동사 is 앞에 있으므로 빈칸에는 주어가 와야 한다. to 부정사는 '~하기', '~하는 것'이라는 뜻으로 주어 역할을 하므로 빈칸에는 to부정사인 ❸이 알맞다.
 • 수영하는 것은 재미있다.

2 빈칸에는 동사 is의 보어가 필요하고, to부정사는 be동사 뒤에서 '~하는 것'이라는 뜻으로 보어 역할을 한다. 따라서 빈칸에는 to부정사인 ❹가 알맞다.
 • 우리 아버지의 직업은 음식점에서 요리하는 것이다.

3 빈칸에는 동사 like의 목적어가 필요하고, to부정사는 '~하기를', '~하는 것을'이라는 뜻으로 동사 뒤에서 목적어 역할을 한다. 따라서 빈칸에는 to부정사인 ❸이 알맞다.
 • 나는 농구하는 것을 좋아한다.

4 be동사 뒤에는 be동사와 함께 '~하는 것이다'라는 뜻이 되는 보어가 와야 한다. 동사는 보어가 될 수 없지만 to부정사가 보어 역할을 할 수 있으므로 sells를 to sell로 고쳐야 한다.
 • 우리 삼촌의 소원은 자동차를 많이 파는 것이다.

5 wanted 뒤에는 '~하는 것을', '~하기를'이라는 뜻의 목적어가 와야 한다. 동사는 목적어가 될 수 없지만, to부정사가 목적어 역할을 할 수 있으므로 eat를 to eat로 고쳐야 한다.
 • 우리 아버지는 햄버거를 조금 드시고 싶어 하셨다.

6 동사 is 앞에서 '~하기', '~하는 것'이라는 뜻으로 주어 역할을 하는 것은 to부정사이므로 To play가 알맞다.

7 동사 decided 뒤에는 '~하는 것을', '~하기를'이라는 뜻의 목적어가 와야 하므로 목적어 역할을 하는 to부정사가 올 수 있다. to부정사는 「to+동사원형」의 형태이므로 빈칸에는 동사원형인 become이 알맞다.

8 밑줄 친 부분은 문장의 주어이다. 동사 is 앞에서 '~하기', '~하는 것'이라는 뜻으로 문장의 주어 역할을 하는 것은 to부정사이므로 ❸이 알맞다.
 • 자전거 타기는 무척 재미있다.

9 밑줄 친 부분은 문장의 보어이다. 동사 is 뒤에서 '~하는 것'이라는 뜻으로 보어 역할을 하는 것은 to부정사이므로 to부정사인 ❹가 알맞다.

 • 그녀의 꿈은 비행기 조종사가 되는 것이다.

10 밑줄 친 부분은 동사 began의 목적어가 되어야 한다. '~하기를', '~하는 것을'이라는 뜻으로 동사 뒤에서 목적어 역할을 하는 것은 to부정사이므로 to부정사인 ❹가 알맞다.
 • 우리 사촌은 줄넘기를 하기 시작했다.

11 첫 번째 문장의 빈칸에는 동사 is 뒤에서 '~하는 것'이라는 뜻의 보어 역할을 하는 to부정사인 to teach가 알맞다. 그리고 두 번째 문장의 빈칸에는 동사 is 앞에서 '~하기', '~하는 것'이라는 뜻의 주어 역할을 하는 to부정사인 To read가 알맞다.
 • 우리 아버지의 직업은 체육을 가르치는 것이다.
 • 책을 읽는 것은 좋은 습관이다.

12 첫 번째 문장의 빈칸에는 be동사 is 뒤에서 '~하는 것'이라는 뜻의 보어 역할을 하는 to부정사인 to win이 알맞다. 그리고 두 번째 문장의 빈칸에는 '~하는 것을', '~하기를'의 뜻으로 동사 hates의 목적어 역할을 하는 to부정사인 to swim이 알맞다.
 • 제인의 소원은 대회에서 우승하는 것이다.
 • 그는 바다에서 수영하는 것을 몹시 싫어한다.

13 빈칸에는 동사 plan 뒤에서 '~하는 것을', '~하기를'이라는 뜻의 목적어 역할을 하는 to부정사가 들어가야 한다. 따라서 to visit이 알맞다.

14 빈칸에는 동사 is 앞에서 '~하는 것', '~하기'라는 뜻의 주어 역할을 하는 to부정사가 들어가야 한다. 따라서 To dance가 알맞다.

15 빈칸에는 동사 is 뒤에서 '~하는 것'이라는 뜻의 보어 역할을 하는 to부정사가 들어가야 한다. 따라서 to lose가 알맞다.

16 동사 love와 like 뒤에는 모두 '~하는 것을'이라는 뜻의 목적어 역할을 할 수 있는 to부정사가 와야 한다. 그러므로 빈칸에는 공통으로 to가 알맞다.
 • 피오나는 TV 보는 것을 무척 좋아한다.
 • 그들은 등산하는 것을 좋아하지 않았다.

17 동사 is 뒤에는 모두 '~하는 것'이라는 뜻으로 보어 역할을 할 수 있는 to부정사가 와야 한다. 그러므로 빈칸에는 공통으로 to가 알맞다.
 • 내 취미는 하이킹하러 가는 것이다.
 • 그의 여동생의 꿈은 새 소파를 사는 것이다.

18 동사 want 뒤에는 목적어가 와야 하므로 목적어 역할을 할 수 있는 to부정사가 알맞다. 따라서 빈칸에는 to부정사인 to go를 써야 한다.

19 동사 is 뒤에는 보어가 와야 하므로 보어 역할을 할 수 있는 to부정사가 알맞다. 따라서 빈칸에는 to부정사인 to fix를 써야 한다.

20 동사 loves 뒤에는 목적어가 와야 하므로 목적어 역할을 할 수 있는 to부정사가 알맞다. 따라서 빈칸에는 to부정사인 to draw를 써야 한다.

21 동사 want 뒤에는 목적어가 와야 하고, to부정사가 목적어 역할을 할 수 있다. 따라서 동사 want 뒤에 to부정사인 to drink를 써서 문장을 만든다.

22 '너무 많이 먹는 것은'이 주어이고, 주어 역할을 하는 것은 to부정사이다. 따라서 to부정사인 to eat를 문장의 맨 앞에 써서 문장을 만든다.

23 '바느질하기'가 보어이고, 보어 역할을 하는 것은 to부정사이다. 따라서 to부정사인 to sew를 동사 is 뒤에 써서 문장을 만든다.

24 '케이크를 만드는 것은'이 주어이고, 주어 역할을 하는 것은 to부정사이다. 따라서 to부정사인 to make를 문장의 맨 앞에 써서 문장을 만든다.

25 '그 경기에서 이기는 것'이 보어이고, 보어 역할을 하는 것은 to부정사이다. 따라서 to부정사인 to win을 동사 is 뒤에 써서 문장을 만든다.

Wrap Up
115쪽

1 1 동사원형 2 명사
2 1 목적어 2 주어 3 보어

Check up
to play, To catch, To tell

만화 해석

서니: 나는 야구를 하는 것을 무척 좋아해.
잭: 그 공을 잡는 것은 쉽지 않았어.
아저씨: 누가 그랬지?
잭: 거짓말을 하는 것은 나빠.

06 to부정사 (2)

01 형용사처럼 쓰이는 to부정사

만화 해석
118쪽

서니: 나는 네게 보여 줄 사진이 많아.
잭: 이 못생긴 여자아이는 누구야?

Grammar Walk!
119쪽

A 1 Kevin has lots of homework (to finish).
   2 I had some cake (to give) Jim.
   3 Sumi needs a friend (to help) her.
   4 I had lots of books (to read).
   5 Monica has a letter (to send) him.
   6 There are three boxes (to move).

B 1 to eat 2 to wear 3 to go
   4 to walk 5 to visit 6 to watch

해설 **A** 1 케빈은 끝내야 할 숙제가 많이 있다.
   2 나는 짐에게 줄 케이크를 조금 가지고 있었다.
   3 수미는 자기를 도와줄 친구 한 명이 필요하다.
   4 나는 읽어야 할 책들이 많이 있었다.

5 모니카는 그에게 보내야 할 편지 한 통을 가지고 있다.
6 옮겨야 할 상자가 세 개 있다.

B 1 그들은 먹을 빵을 조금 원했다.
2 켈리는 겨울에 신을 새 장화가 필요했다.
3 샘은 이탈리아에 갈 계획을 가지고 있다.
4 암스트롱은 달에서 걸은 첫 번째 사람이었다.
5 서울에는 방문할 많은 장소들이 있다.
6 우리는 오늘 밤에 볼 만화 영화가 있다.

02 부사처럼 쓰이는 to부정사

만화 해석
120쪽

그들은 롤러코스터를 타기 위해 놀이공원에 갔다.
서니: 나는 롤러코스터를 타서 신이 나.

Grammar Walk!
121쪽

A 1 to find 2 to hear 3 to see
   4 to win 5 to get 6 to go
   7 to fight 8 to sell 9 to meet
   10 to catch 11 to arrive 12 to send
   13 to sleep 14 to make 15 to play

해설 **A** 1 나는 내 강아지를 찾아서 기뻤다.
   2 우리는 그 소식을 듣고 화가 났다.
   3 그녀는 거기에서 류현진을 보고 놀랐다.
   4 톰은 그 경기를 이겨서 기쁘다.
   5 조조는 안 좋은 점수를 받아서 슬프다.
   6 그들은 해변에 가서 신이 났다.
   7 해리는 자신의 가장 친한 친구와 싸워서 기분이 좋지 않았다.
   8 그들은 채소를 팔기 위해 시장에 갔다.
   9 엄마는 우리 선생님을 만나기 위해 학교에 오셨다.
   10 나는 첫 기차를 잡기 위해 일찍 일어났다.
   11 세실은 거기에 더 빨리 도착하기 위해 택시를 탔다.
   12 그는 이메일을 보내기 위해 컴퓨터를 켰다.
   13 기린은 때때로 잠을 자기 위해 눕는다.
   14 제임스는 새 친구들을 사귀기 위해 그 동아리에 가입했다.
   15 우리는 야구를 하기 위해 야구 방망이를 하나 샀다.

Grammar Run!
122~123쪽

A 1 to show 2 to solve 3 to meet
   4 to answer 5 to watch 6 to do

7	to visit	8	to read	9	to eat
10	to win	11	to become	12	to write
13	to wear	14	to drink	15	to clean

B

1	듣고	2	통과해서
3	이사를 가게 되어서	4	보게 되어서
5	져서	6	늦어서
7	고치기 위해	8	타기 위해
9	보기 위해	10	사기 위해
11	성공하기 위해	12	잡기 위해

Grammar Jump! 124~125쪽

A

1	to water	2	to drink	3	to think
4	to answer	5	to read	6	to buy
7	to get	8	to lose	9	to see
10	to listen	11	to see	12	to borrow
13	to make	14	to ask	15	to arrive

B

1	to wear	2	to fix	3	to help
4	to read	5	to see	6	to hear
7	to win	8	to go	9	to buy
10	to live	11	to take	12	to lose

해설 **A**
1 그들은 물을 주어야 할 식물이 많이 있다.
2 제게 마실 차 한 잔을 주세요.
3 우리는 생각할 시간이 조금 필요하다.
4 그는 대답해야 할 질문들이 많이 있다.
5 나는 이번 달에 읽어야 할 과학 잡지 두 권을 가지고 있다.
6 샐리는 새 외투를 사서 기뻤다.
7 피터는 선물을 받아서 기뻤다.
8 그들은 자신들의 강아지를 잃어버려서 슬펐다.
9 로라는 그 뱀을 보고 놀랐다.
10 할머니는 그 노래를 들어서 신이 나 계신다.
11 잭은 나를 보기 위해 돌아왔다.
12 밥은 책을 몇 권 빌리기 위해 도서관에 갔다.
13 나는 케이크를 만들기 위해 밀가루를 조금 샀다.
14 그녀는 내 주소를 물어보기 위해 내게 전화를 걸었다.
15 우리는 정각에 도착하기 위해 지하철을 탔다.

B hear 듣다, wear 입다, fix 고치다, 수리하다, take a rest 쉬다, help 돕다, buy 사다, read 읽다, lose 줄이다, see 보다, win 타다, go 가다, live 살다

Grammar Fly! 126~127쪽

A
1 fresh water to drink
2 some e-mail to send
3 the book to read today
4 a secret to tell you
5 upset to see my report card
6 surprised to read the news
7 happy to win a gold medal
8 sad to say good-bye to you
9 turned on the radio to listen to music
10 studied hard to get a good score
11 went to the park to ride a bike
12 came here to help us

B
1 I have some letters to show you.
2 They had a lot of questions to ask.
3 Rella needed a dress to wear to the party.
4 Ms. Ha is a doctor to help poor people.
5 She was surprised to see that movie.
6 I am sad to leave this town.
7 Mr. Obama was upset to hear the news.
8 They were excited to visit the animal farm.
9 We met to finish the report.
10 James got up early to take the bus.
11 Nancy went to the school cafeteria to have lunch.
12 My sister came to cheer for me.

Grammar & Writing 128~129쪽

A
1 to have a new robot
2 to visit New York
3 to eat chocolate cake
4 to win the contest
5 to go swimming
6 to ride a roller coaster

B
1 I need a cap to wear.
2 I need sweet bread to eat.
3 I need fresh milk to drink.
4 I need beautiful flowers to give Jasmine.
5 I need a pretty kite to fly with her.

(새 로봇을 가지다)

나는 새 로봇을 가지게 되어 기뻤다.

2 (뉴욕을 방문하다)

나는 뉴욕을 방문하게 되어 기뻤다.

3 (초콜릿 케이크를 먹다)

나는 초콜릿 케이크를 먹어서 기뻤다.

4 (그 대회에서 우승하다)

나는 그 대회에서 우승을 해서 기뻤다.

5 (수영하러 가다)

나는 수영하러 가서 기뻤다.

6 (롤러코스터를 타다)

나는 롤러코스터를 타서 기뻤다.

B a cap 모자, sweet bread 달콤한 빵, fresh milk 신선한 우유, beautiful flowers 아름다운 꽃, a pretty kite 예쁜 연

1 지니: 너는 소풍을 위해서 무엇이 필요하니?

알라딘: 나는 쓸 모자가 필요해.

(입고/쓰고/끼고 있다)

2 지니: 너는 소풍을 위해서 무엇이 필요하니?

알라딘: 나는 먹을 달콤한 빵이 필요해. (먹다)

3 지니: 너는 소풍을 위해서 무엇이 필요하니?

알라딘: 나는 마실 신선한 우유가 필요해. (마시다)

4 지니: 너는 소풍을 위해서 무엇이 필요하니?

알라딘: 나는 재스민에게 줄 아름다운 꽃이 필요해. (재스민에게 주다)

5 지니: 너는 소풍을 위해서 무엇이 필요하니?

알라딘: 나는 그녀와 함께 날릴 예쁜 연이 필요해. (그녀와 함께 날리다)

UNIT TEST ·· 06

130~134쪽

1 to tell	**2** to buy	**3** to get	**4** ❺
5 ❹	**6** ❸	**7** ❸	**8** ❹
9 ❹	**10** ❹	**11** ❸	**12** ❶
13 ❺	**14** ❹	**15** ❷	**16** ❹
17 ❸	**18** to get	**19** to wear	
20 to buy	**21** to make		**22** to do
23 to meet	**24** Suho has a computer to fix.		
25 She was surprised to read the news.			

해설

1 '~할, ~해야 할'이라는 의미로 명사 뒤에서 명사를 꾸며 주는 말은 to부정사로 나타낼 수 있다. 명사 story를 꾸며 줘야 하므로 to tell이 알맞다.

2 '~하기 위해'라는 뜻으로 동사의 목적이나 이유를 설명하는 말은 to부정사로 나타낼 수 있다. 꽃 가게에 간 목적이 '꽃을 사기 위해서'이므로 to buy가 알맞다.

3 감정을 나타내는 형용사(happy) 뒤에서 '~해서, ~하다니'라는 뜻으로 감정의 원인을 설명할 때 to부정사로 나타낼 수 있다. 행복한 이유가 '그 책을 받아서'이므로 to get이 알맞다.

4 to부정사는 명사 뒤에서 형용사처럼 '~할, ~해야 할'이라는 뜻으로 명사를 꾸며 준다. 따라서 pictures를 꾸며 줄 말로 to see가 알맞다.

· 미술관에는 볼 그림들이 많이 있다.

5 감정을 나타내는 형용사(excited) 뒤에서 '~하다니', '~해서'라는 뜻으로 감정의 원인을 설명할 때는 to부정사를 쓴다. 따라서 to go가 알맞다.

· 그들은 소풍을 가서 신이 났다.

6 cheese(치즈)라는 명사를 꾸며 줄 말이 필요하므로 to부정사인 to eat로 고쳐 써야 한다.

· 그들은 먹을 치즈가 조금 필요하다.

7 감정의 원인(sad)을 설명하는 말이 필요하므로 to부정사인 to hear가 알맞다.

· 그 여자들은 그 소식을 들어서 슬펐다.

8 창문을 연(opened the window) 목적을 설명하는 말이 필요하므로 to부정사인 to look이 알맞다.

· 존은 바깥을 보기 위해 창문을 열었다.

9 horse(말)라는 명사를 꾸며 줄 수 있는 말은 to부정사이다. to부정사는 「to+동사원형」의 형태이므로 ❹가 알맞다.

· 그들은 먹이를 줄 말 한 마리를 가지고 있었다.

10 밖에 나간(went out) 목적을 설명할 수 있는 말은 to부정사이고, to부정사는 「to+동사원형」의 형태이므로 ❹가 알맞다.

· 로라는 산책을 하기 위해 밖으로 나갔다.

11 ❸에 감정(sad)의 원인을 설명하는 말이 필요하므로 listen을 to부정사인 to listen으로 바꿔 써야 한다.

❶ 그녀는 그를 다시 만나게 되어 기뻤다.

❷ 너는 너를 도와줄 많은 친구들이 있다.

❸ I was sad to listen to the song. 나는 그 노래를 들어서 슬펐다.

❹ 그들은 그 시험에 통과하기 위해 열심히 공부했다.

❺ 에리카는 쓸 보고서가 하나 있다.

12 ❶에서 명사 homework를 꾸며 주는 to부정사는 「to+동사원형」의 형태이므로 finishes를 finish로 바꿔야 한다.

❶ He has a lot of homework to finish. 그는 끝내야 할 숙제가 많이 있다.

❷ 마크는 그 기차를 타기 위해 달렸다.

❸ 서니는 자기 친구를 보고 놀랐다.

❹ 우리는 물어볼 질문이 몇 개 있다.

❺ 나는 그 책을 빌리기 위해 짐의 집에 갔다.

13 첫 번째 문장은 명사인 water를 꾸며 줄 말이 필요하고, 두 번째 문장은 보트를 탄 목적을 설명하는 말이 필요하다. 명사를 꾸며 주거나 동사의 목적을 설명하는 말은 to부정사이므로 빈칸에는 ❺가 알맞다.
• 내게 마실 물을 줘.
• 우리는 그 강을 건너기 위해 보트를 탔다.

14 기쁜(happy) 이유와 슬픈(sad) 이유를 나타내는 말이 필요하므로 빈칸에는 모두 to부정사인 ❹가 알맞다.
• 인호는 그 상을 받게 되어 기뻤다.
• 우리 언니는 그 경기에서 져서 슬펐다.

15 그 음식점에 간 목적인 '저녁 식사를 하기 위해서'는 to부정사를 사용해서 나타낼 수 있다. to부정사는 「to+동사원형」의 형태이므로 to 뒤의 had는 have가 되어야 한다.

16 letters(편지)라는 명사를 꾸며 줄 수 있는 말은 to부정사이다. to부정사는 to 뒤에 동사원형을 쓰므로 ❹가 알맞다.

17 감정(excited)의 원인을 설명하는 to부정사가 필요하므로 ❸이 알맞다.

18 감정(upset)의 원인을 설명하는 말이 필요하므로 got을 to부정사인 to get으로 바꿔 써야 한다.

19 jacket(재킷)이라는 명사를 꾸며 줄 수 있는 말이 필요하므로 wears를 to부정사인 to wear로 바꿔 써야 한다.

20 시장에 가고 있는 목적을 나타내는 말이 필요하므로 bought를 to부정사인 to buy로 바꿔 써야 한다.

21 감정(happy)의 원인을 설명하는 말이 필요하므로 to부정사인 to make가 알맞다.

22 homework(숙제)라는 명사를 꾸며 줄 수 있는 말이 필요하므로 to부정사인 to do가 알맞다.

23 뉴욕을 방문한 목적을 설명하는 말이 필요하므로 to부정사인 to meet가 알맞다.

24 computer(컴퓨터)라는 명사를 꾸며 줄 수 있는 말이 필요하므로 to부정사인 to fix를 computer 뒤에 써서 문장을 만든다.

25 감정(surprised)의 원인을 설명하는 말이 필요하므로 to부정사인 to read를 surprised 뒤에 써서 문장을 만든다.

Wrap Up
135쪽

1　1　형용사　　　2　명사
2　1　감정　　　　2　목적

Check up
to tell, to study, to hear

만화 해석
서니: 네게 말해 줄 소식이 있어.
잭: 그게 뭔데?
서니: 주디가 어제 프랑스 어를 공부하러 프랑스에 갔어.
잭: 나는 그 소식을 들어서 슬퍼.

Review Test ᴗ 03 136~139쪽

1 ❹　　　2 ❸　　　3 to buy
4 to drink　5 ❸　　　6 ❹　　　7 ❸
8 ❺　　　9 ❺　　　10 ❷　　　11 ❶
12 ❷　　　13 ❹　　　14 ❸　　　15 ❹
16 We have three questions to ask.
17 He turned on the radio to listen to music.
18 I am happy to buy a new coat.
19 I am glad to help you.
20 To swim in the sea is dangerous.

해설

1 동사 is 앞에는 주어가 와야 하고, to부정사가 주어 역할을 할 수 있으므로 빈칸에는 to부정사인 ❹가 알맞다.
• 너무 많이 먹는 것은 네 건강에 나쁘다.

2 동사 is 뒤에는 보어가 와야 하고, to부정사가 보어 역할을 할 수 있으므로 빈칸에는 to부정사인 ❸이 알맞다.
• 내 취미는 산을 오르는 것이다.

3 동사 want 뒤에는 목적어로 to부정사가 오므로 to buy가 알맞다.

4 명사인 water를 꾸며 줄 수 있는 to부정사가 알맞다.

5 지하철을 탄 목적을 설명하는 말이 필요하므로 to부정사인 ❸이 알맞다.
• 우리는 정각에 도착하기 위해 지하철을 탔다.

6 감정(surprised)의 원인을 설명하는 말이 필요하므로 to부정사인 ❹가 알맞다.
• 그들은 판다를 보고 놀랐다.

7 감정(excited)의 원인을 설명하는 말인 to부정사가 필요하므로 ❸이 알맞다.
• 지아는 낚시하러 가서 신이 났다.

8 '~하는 것', '~하기'의 뜻으로 be동사 뒤에서 보어 역할을 할 수 있는 것은 to부정사이므로 ❺가 알맞다.
• 내 목표는 상을 받는 것이다.

9 첫 번째 문장의 빈칸에는 여기에 온 목적을 설명하는 말이 와야 하고, 두 번째 문장의 빈칸에는 동사 hope의 목적어가 와야 하므로 모두 to부정사인 ❺가 알맞다.
• 메리는 자기 친구들을 만나기 위해 여기에 왔다.
• 나는 유럽에 가기를 바란다.

10 첫 번째 문장의 빈칸에는 감정(sad)의 원인을 설명하는 말이 필요하고, 두 번째 문장의 빈칸에는 동사 is 뒤에 보어 역할을 하는 말이 필요하므로 모두 to부정사인 ❷가 알맞다.
• 조는 자기 강아지를 잃어버려서 슬펐다.
• 내 꿈은 의사가 되는 것이다.

11 과거에 열심히 공부한 목적이 시험에 통과하기 위한(to pass the exam) 것이므로 목적을 설명하는 to부정사가 쓰인 ❶이 알맞다.

12 동사 is 뒤에 보어의 역할을 하는 to부정사가 쓰인 ❷가 알맞다.

13 감정(pleased)의 원인을 설명하는 말이 필요하므로 빈칸에는 to부정사인 ❹가 알맞다.

14 명사인 newspaper를 형용사처럼 꾸며 줄 수 있는 말이 필요하므로 빈칸에는 to부정사인 ❸이 알맞다.

15 to부정사는 to 뒤에 동사원형이 와야 하므로 ❹에서 sold를 sell로 바꿔 써야 한다.
　❶ 일기를 쓰는 것은 쉽지 않다.
　❷ 우리는 그것을 할 시간이 더 필요하다.
　❸ 이 선생님은 캐나다를 떠나게 되어 슬펐다.
　❹ Her job is to sell cars. 그녀의 직업은 자동차를 파는 것이다.
　❺ 주디는 자기 모자를 찾기 위해 공원에 갔다.

16 questions(질문들)라는 명사를 꾸며 줄 수 있는 말이 필요하므로 to부정사인 to ask를 questions 뒤에 써서 문장을 만든다.

17 라디오를 켠(turned on the radio) 목적을 나타내는 말이 필요하므로 to부정사인 to listen을 turn on the radio 뒤에 써서 문장을 만든다. '켰다'이므로 과거형인 turned를 쓴다.

18 기쁜(happy) 원인을 설명하는 말이 필요하므로 to부정사인 to buy를 happy 뒤에 써서 문장을 만든다.

19 감정(glad)의 원인을 나타내는 말이 필요하므로 to부정사인 to help를 glad 뒤에 써서 문장을 만든다.

20 '바다에서 수영을 하는 것'이 주어이므로 swim을 to부정사인 to swim으로 써서 문장을 만든다.

Unit 07 동명사

01 주어와 보어로 쓰이는 동명사

만화 해석　142쪽

아빠: 내 취미는 요리하기야. 요리를 하는 것은 재미있지!
서니: 아빠의 음식을 먹는 것은 쉽지 않아.

Grammar Walk!　143쪽

A 1 [Cooking] is fun.
　2 [Diving] is difficult.
　3 [Dancing] is exciting.
　4 [Listening] is important.
　5 [Speaking] is easy.
　6 [Drawing] is interesting.
　7 [Driving] a car is easy.
　8 [Playing] computer games is exciting.
　9 My hobby is [writing] stories.
　10 His job is [taking] pictures.

11 Her dream is [flying] in the sky.
12 Mark's goal is [climbing] Mt. Everest.
13 Blackie's favorite thing is [running].
14 Karl's hobby is [baking] cookies.
15 Her job is [fixing] cars.

해설 A 1 요리하는 것은 재미있다.
　2 다이빙하는 것은 어렵다.
　3 춤을 추는 것은 신이 난다.
　4 듣는 것은 중요하다.
　5 말하는 것은 쉽다.
　6 그리는 것은 재미있다.
　7 자동차를 운전하는 것은 쉽다.
　8 컴퓨터 게임을 하는 것은 신이 난다.
　9 내 취미는 이야기를 쓰는 것이다.
　10 그의 일은 사진을 찍는 것이다.
　11 그녀의 꿈은 하늘을 나는 것이다.
　12 마크의 목표는 에베레스트 산을 오르는 것이다.
　13 블래키가 좋아하는 것은 달리는 것이다.
　14 칼의 취미는 쿠키를 굽는 것이다.
　15 그녀의 일은 자동차를 수리하는 것이다.

02 목적어로 쓰이는 동명사

만화 해석　144쪽

스노위는 서니의 신발을 씹는 것을 즐긴다.
그는 수영을 잘한다.

Grammar Walk!　145쪽

A 1 Her cat likes [jumping].
　2 My sisters love [singing].
　3 He enjoys [dancing].
　4 I began [listening] to music.
　5 Julie finished [watering] the garden.
　6 The dogs stopped [barking].
　7 My father started [reading] the newspaper.
　8 My puppy hates [taking] a bath.
　9 They don't like [running].
　10 We didn't enjoy [watching] movies.
　11 You are good at [skiing].
　12 She is interested in [writing] stories.
　13 Her brother was tired of [playing] chess.
　14 I'm poor at [skating].
　15 He didn't give up [making] pancakes.

A 1 그녀의 고양이는 점프하는 것을 좋아한다.

2 우리 언니들은 노래 부르는 것을 무척 좋아한다.

3 그는 춤추는 것을 즐긴다.

4 나는 음악을 듣기 시작했다.

5 줄리는 정원에 물을 주는 것을 끝마쳤다.

6 그 개들은 짖는 것을 멈추었다.

7 우리 아버지는 신문을 읽기 시작하셨다.

8 우리 강아지는 목욕하는 것을 몹시 싫어한다.

9 그들은 달리기를 좋아하지 않는다.

10 우리는 영화를 보는 것을 즐기지 않았다.

11 너는 스키를 잘 탄다.

12 그녀는 이야기 쓰는 것에 관심이 있다.

13 그녀의 남동생은 체스를 두는 것에 싫증을 냈다.

14 나는 스케이트를 못 탄다.

15 그는 팬케이크 만드는 것을 포기하지 않았다.

10 나미는 웃는 것을 멈추었다.

11 우리 오빠는 연 날리는 것을 즐긴다.

12 그 아기는 울기 시작했다.

13 그 소는 계단을 올라가는 것을 포기했다.

14 돌고래는 점프를 잘한다.

15 그녀는 춤추는 것에 관심이 있다.

Grammar Jump!

148~149쪽

A 1 수영하는 것

2 얼음 위에서 달리는 것

3 컴퓨터 게임을 하는 것

4 종이 인형을 만드는 것

5 아픈 사람들을 돕는 것

6 천 권의 책을 읽는 것

7 그림을 그리는 것

8 벽을 페인트칠하는 것

9 춤추는 것

10 이 책을 읽는 것

11 영어 노래를 부르는 것

12 바다에서 낚시를 하는 것

Grammar Run!

146~147쪽

A

1	going	**2**	reading	**3**	swimming
4	flying	**5**	making	**6**	speaking
7	dancing	**8**	seeing	**9**	playing
10	watching	**11**	listening	**12**	baking
13	writing	**14**	sweeping	**15**	riding
16	running	**17**	drawing	**18**	taking
19	using	**20**	driving	**21**	tying
22	climbing	**23**	washing	**24**	looking
25	buying	**26**	carrying		

B

1	Swimming	**2**	Fishing	**3**	Playing
4	Writing	**5**	driving	**6**	traveling
7	chasing	**8**	running	**9**	riding
10	laughing	**11**	flying	**12**	crying
13	climbing	**14**	jumping	**15**	dancing

B

1	Teasing	**2**	Practicing	**3**	Learning
4	Driving	**5**	collecting	**6**	becoming
7	chewing	**8**	building	**9**	doing
10	washing	**11**	barking	**12**	skating
13	singing	**14**	being	**15**	chasing

B 1 네 여동생을 놀리는 것은 좋지 않다.

2 기타를 연습하는 것은 지루하다.

3 새로운 노래를 배우는 것은 재미있다.

4 자동차를 운전하는 것은 어렵지 않다.

5 내 여동생의 취미는 인형을 수집하는 것이다.

6 그녀의 꿈은 수의사가 되는 것이다.

7 코코가 좋아하는 일은 아빠의 신발을 씹는 것이다.

8 그의 일은 집을 짓는 것이다.

9 로사는 숙제하는 것을 끝마쳤다.

10 아빠는 설거지를 하시기 시작했다.

11 그 개들은 짖는 것을 멈추었다.

12 헨리는 스케이트 타는 것을 좋아한다.

13 나는 노래 부르는 것을 즐겼다.

14 우리는 늦어서 미안했다.

15 플루토는 나비를 뒤쫓는 것에 관심이 있었다.

B 1 수영하는 것은 쉽지 않다.

2 낚시하는 것은 지루하다.

3 축구를 하는 것은 신이 난다.

4 쓰기는 어렵지 않다.

5 블랙 씨의 일은 택시를 운전하는 것이었다.

6 내 꿈은 우주로 여행 가는 것이다.

7 태비의 취미는 쥐를 뒤쫓는 것이다.

8 그의 목표는 마라톤에서 달리는 것이다.

9 그들은 롤러코스터 타는 것을 좋아한다.

Grammar Fly! 150~151쪽

A
1 Building a sandcastle
2 Watching TV
3 Playing on the street
4 meeting Ryu Hyunjin
5 taking care of flowers
6 drawing cartoons
7 listening to music
8 playing baseball
9 feeding the horses
10 cleaning the bathroom
11 jumping over the fence
12 cooking

B
1 Fishing is fun.
2 Exercising regularly is good for our health.
3 Reading books every day is a good habit.
4 My hobby is listening to music.
5 Her dream is traveling around the world.
6 His job is taking care of animals.
7 My cat likes climbing trees.
8 His grandmother enjoys knitting.
9 Jack stopped teasing his brother.
10 They started laughing.
11 She is good at playing the cello.
12 Max is interested in dancing.

Grammar & Writing 152~153쪽

A
1 cooking
2 driving a bus
3 dancing
4 teaching
5 taking care of animals
6 writing stories

B
1 Nine children enjoy playing soccer.
2 Five children enjoy listening to music.
3 Three children enjoy riding a bike.
4 Two children enjoy reading a book.
5 Four children enjoy cooking.
6 Eight children enjoy jogging.

해설 **A**
1 (요리하다) 그의 일은 요리하는 것이다. 그는 요리사이다.
2 (버스를 운전하다) 그의 일은 버스를 운전하는 것이다. 그는 버스 운전 기사이다.
3 (춤추다) 그의 일은 춤추는 것이다. 그는 무용수이다.
4 (가르치다) 그녀의 일은 가르치는 것이다. 그녀는 선생님이다.
5 (동물들을 돌보다) 그의 일은 동물들을 돌보는 것이다. 그는 수의사이다.
6 (이야기를 쓰다) 그녀의 일은 이야기를 쓰는 것이다. 그녀는 작가이다.

B
1 아홉 명의 아이들이 축구하는 것을 즐긴다. (축구를 하다)
2 다섯 명의 아이들이 음악 듣는 것을 즐긴다. (음악을 듣다)
3 세 명의 아이들이 자전거 타는 것을 즐긴다. (자전거를 타다)
4 두 명의 아이들이 책 읽는 것을 즐긴다. (책을 읽다)
5 네 명의 아이들이 요리하는 것을 즐긴다. (요리하다)
6 여덟 명의 아이들이 조깅하는 것을 즐긴다. (조깅하다)

UNIT TEST 07 154~158쪽

1 ❶ 2 ❶ 3 ❹ 4 ❺
5 ❹ 6 ❶ 7 ❷ 8 ❸
9 ❹ 10 ❺ 11 ❸ 12 ❺
13 ❷ 14 ❹ 15 ❷
16 Eating 17 knitting
18 drawing 19 breaking
20 playing 21 skiing
22 Writing 23 reading
24 The babies stopped crying.
25 He is good at playing the piano.

해설

1 -ie로 끝나는 동사는 -ie를 -y로 바꾸고 -ing를 붙여 동명사를 만든다.
❶ tie – tying 묶다 – 묶는 것/묶기
❷ 만들다 – 만드는 것/만들기
❸ 달리다 – 달리는 것/달리기
❹ 읽다 – 읽는 것/읽기

❺ 공부하다 – 공부하는 것/공부하기

2 ski는 동사 뒤에 -ing만 붙여 명사를 만든다.
   ❶ ski – skiing 스키를 타다 – 스키를 타는 것/스키 타기
   ❷ 오다 – 오는 것/오기
   ❸ 가다 – 가는 것/가기
   ❹ 사다 – 사는 것/사기
   ❺ 수영하다 – 수영하는 것/수영하기

3 동사 is 앞에는 주어가 필요하고, 명사는 명사처럼 문장에서 주어로 쓰일 수 있으므로 빈칸에는 동명사인 ❹가 알맞다.
   • 듣는 것은 중요하다.

4 동사 is 뒤에는 보어가 필요하고, 명사는 명사처럼 문장에서 보어로 쓰일 수 있으므로 빈칸에는 동명사인 ❺가 알맞다.
   • 내 취미는 그림 그리기이다.

5 동사 likes 뒤에는 목적어가 필요하고, 명사는 명사처럼 문장에서 목적어로 쓰일 수 있으므로 빈칸에는 동명사인 ❹가 알맞다.
   • 그는 우표 수집하는 것을 좋아한다.

6 동사 is 앞에는 주어가 와야 하고, 명사는 명사처럼 문장에서 주어로 쓰일 수 있으므로 동명사인 ❶이 알맞다.
   • 자동차를 운전하는 것은 쉽지 않다.

7 동사 is 뒤에는 보어가 와야 하고, 명사는 명사처럼 문장에서 보어로 쓰일 수 있으므로 동명사인 ❷가 알맞다.
   • 그녀의 꿈은 하늘을 나는 것이다.

8 동사 stopped 뒤에 목적어가 와야 하고, 동명사는 명사처럼 문장에서 목적어로 쓰일 수 있으므로 동명사인 ❸이 알맞다.
   • 그들은 달리는 것을 멈추었다.

9 밑줄 친 부분은 '~하기', '~하는 것'의 뜻으로 문장의 주어이므로 명사처럼 주어로 쓰이는 동명사 ❹가 알맞다.
   • 스케이트 타기는 재미있다.

10 밑줄 친 부분은 '~하기', '~하는 것'의 뜻으로 동사 is 뒤에서 보어로 쓰이고 있으므로 명사처럼 보어로 쓰이는 동명사 ❺가 알맞다.
   • 그의 일은 동물들을 돌보는 것이다.

11 밑줄 친 부분은 '~하기', '~하는 것'의 뜻으로 동사 enjoys 뒤에서 목적어로 쓰이고 있으므로, 명사처럼 문장에서 목적어로 쓰이는 동명사 ❸이 알맞다.
   • 그는 테니스 치는 것을 즐긴다.

12 '~하기', '~하는 것'이라는 뜻으로 명사처럼 쓰이는 말은 동명사이므로 ❺의 run은 running이 되어야 한다.

13 동사 is 뒤에는 보어가 와야 하고, 명사는 명사처럼 문장에서 보어로 쓰일 수 있으므로 ❷의 climb을 동명사인 climbing으로 바꿔 써야 한다.
   ❶ 다이빙하는 것은 어렵지 않다.
   ❷ Mark's goal is climbing Mt. Everest.
      마크의 목표는 에베레스트 산을 오르는 것이다.
   ❸ 팡은 목욕하는 것을 싫어한다.
   ❹ 너는 스케이트를 잘 탄다.
   ❺ 줄리는 자기 방 청소하는 것을 끝냈다.

14 첫 번째 문장에서 동사 is 앞에 주어가 와야 하고 주어 역할을 하는 것은 동명사이므로, 빈칸에는 Swimming이 알맞다. 두 번째 문장은 '~하고 있었다'라는 뜻으로 「be동사의 과거형+

동사원형-ing」의 과거 진행 시제이므로, 빈칸에는 running이 알맞다.
   • 수영하는 것은 쉽지 않다.
   • 우리는 그때 강을 따라 달리고 있었다.

15 첫 번째 문장은 동사 is 뒤에 보어가 필요하고, 명사처럼 보어 역할을 하는 것은 동명사이다. 두 번째 문장은 전치사 in의 목적어가 필요하고, 명사처럼 전치사의 목적어로 쓰일 수 있는 것은 동명사이다. 그러므로 빈칸에는 둘 다 동명사인 ❷가 알맞다.
   • 그녀의 일은 자동차를 수리하는 것이다.
   • 그는 춤추는 것에 관심이 있다.

16 동사 is 앞에는 주어가 와야 하고, 동명사는 명사처럼 문장에서 주어로 쓰일 수 있으므로 동명사인 Eating이 알맞다.

17 명사처럼 전치사 at의 목적어로 쓰일 수 있는 것은 동명사이므로 동명사인 knitting이 알맞다.

18 명사처럼 전치사 in의 목적어로 쓰일 수 있는 것은 동명사이므로 동명사인 drawing이 알맞다.

19 명사처럼 전치사 for의 목적어로 쓰일 수 있는 것은 동명사이므로 동명사인 breaking이 알맞다.

20 명사처럼 전치사 of의 목적어로 쓰일 수 있는 것은 동명사이므로 동명사인 playing이 알맞다.

21 동사 is 뒤에는 보어가 와야 하고, 동명사는 명사처럼 문장에서 보어로 쓰일 수 있으므로 동명사인 skiing이 알맞다.

22 동사 is 앞에는 주어가 와야 하고, 동명사는 명사처럼 문장에서 주어로 쓰일 수 있으므로 동명사인 Writing이 알맞다.

23 동사 likes의 뒤에는 목적어가 와야 하고, 동명사는 명사처럼 문장에서 목적어로 쓰일 수 있으므로 동명사인 reading이 알맞다.

24 동사 stopped의 뒤에는 목적어가 와야 하고, 동명사는 명사처럼 문장에서 목적어로 쓰일 수 있으므로 cry를 동명사인 crying으로 바꿔 써야 한다.
   • 그 아기들은 우는 것을 멈추었다.

25 명사처럼 전치사의 목적어로 쓰일 수 있는 것은 동명사이므로 plays를 동명사인 playing으로 바꿔 써야 한다.
   • 그는 피아노를 잘 친다.

Wrap Up

159쪽

1 1 -ing   2 -ing   3 -y
   4 -ing   5 -ing
2 1 주어   2 보어   3 목적어

Check up
fishing, fishing, Fishing, fishing

만화 해석
짝: 내 취미는 낚시야.
짝: 나는 낚시하는 것을 좋아해.
짝: 낚시하는 것은 쉽지 않구나.
블래키: 나는 낚시하는 것을 좋아하지 않아.

ᴜɴɪᴛ 08 동명사와 to부정사

01 동명사와 to부정사

만화 해석 162쪽

서니는 큰 소리로 노래 부르는 것을 즐긴다.
블래키: 나는 그녀의 노래를 듣는 것이 무척 싫어.

Grammar Walk! 163쪽

A 1 jogging 2 reading 3 opening
4 to travel 5 to visit 6 to buy

B 1 to sweep 2 to go 3 to talk
4 to learn 5 to exercise

해설 **A** 1 우리 엄마와 나는 공원에서 조깅하는 것을 즐긴다.
2 소나는 그 과학 책들을 읽는 것을 포기했다.
3 창문 좀 열어 주실래요?
4 나는 달로 여행 가고 싶다.
5 대니는 로스앤젤레스에 사시는 자기 할아버지를 찾아뵐 계획이다.
6 우리 부모님은 내게 그 외투를 사 주기로 약속하셨다.

B 1 우리는 그 바닥을 계속 쓸었다.
2 브렌트는 치과에 가는 것을 무척 싫어한다.
3 그 아기는 말을 하기 시작했다.
4 그들은 2년 전에 일본어를 배우기 시작했다.
5 매튜는 운동하는 것을 매우 좋아한다.

02 동명사와 to부정사의 여러 가지 표현

만화 해석 164쪽

스노위: 잭은 의상을 고르느라 바빠.
잭: 나는 무엇을 입어야 할지 알겠어.

Grammar Walk! 165쪽

A 1 d. 2 a. 3 c. 4 b.
5 f. 6 e.

B 1 how 2 where 3 what 4 when
5 where 6 how

Grammar Run! 166~167쪽

A 1 riding 2 fixing
3 crying 4 eating
5 playing 6 to tell
7 to meet 8 to win
9 to visit 10 to become
11 watching 12 reading
13 to send 14 to take
15 to go

B 1 staying 2 skiing
3 answering 4 having
5 practicing 6 watching
7 hiking 8 to choose
9 to say 10 to sing
11 to cook 12 how
13 where 14 when

해설 **A** 1 우리 삼촌은 오토바이 타는 것을 그만두셨다.
2 그의 아들은 지붕을 고치는 것을 끝마쳤다.
3 로렌스 씨는 계속해서 울었다.
4 나는 저녁 식사로 외식을 해도 상관없다.
5 그들은 축구하는 것을 즐긴다.
6 해리엇은 우리에게 그 비밀을 말해 주기로 약속했다.
7 나는 올리버를 다시 만나기를 원한다.
8 우리는 다음 경기에 이기기를 기대한다.
9 우리 가족은 뉴욕을 방문할 계획이다.
10 제니는 경찰관이 되기를 바랐다.
11 그는 스포츠를 보는 것을 좋아하니?
12 나는 이 책을 읽기 시작했다.
13 그들은 그에게 이메일을 계속 보낼 것이다.
14 그녀는 바이올린 교습을 다시 받기 시작할 것이다.
15 사이먼은 일찍 잠자리에 드는 것을 정말로 싫어한다.

B 1 나는 오늘 집에 머물고 싶다.
2 그녀의 딸은 스키 타러 가는 것을 좋아한다.
3 우리 할아버지는 전화를 받느라 바쁘시다.
4 나는 저녁 식사를 하고 싶지 않다.
5 그들은 그 연주회를 위해 연습하느라 바빴다.
6 그녀는 그 영화를 보고 싶었다.
7 너는 이번 토요일에 하이킹하러 갈 수 있니?
8 우리 형은 무엇을 고를지 결정했다.

9 찰리는 자주 언제 '제발'이라고 말할지 잊어버린다.

10 그는 내게 그 노래를 부르는 법을 가르쳐 주었다.

11 나는 그 파티를 위해 무엇을 요리할지 몰랐다.

12 너는 자전거를 수리하는 법을 아니?

13 그는 어디에서 버스를 내려야 할지 알았다.

14 내게 언제 불을 켜야 할지 말해 줘라.

4 My sister likes jumping rope.

5 They continued sailing.

6 Minsu felt like reading comic books.

7 We went fishing after lunch.

8 She is busy preparing breakfast.

9 We asked him what to do.

10 Tell me when to begin.

11 You should learn how to use a computer.

12 I don't know where to park.

Grammar Jump! 168~169쪽

A
1 세차하는 것을   2 축구하는 것을
3 마시는 것을   4 소풍을 가기로
5 초대하기로   6 춤추는 것을
7 휘파람을 불기   8 도와 드리느라
9 산책하고   10 수영하러
11 무엇을 살지   12 어디에 앉아야 할지
13 언제 일어나야 할지   14 사냥하는 법

B
1 reading   2 exercising
3 to stay   4 to take
5 laughing   6 playing
7 knitting   8 shopping
9 preparing   10 to cook
11 to hide   12 to say
13 to solve

해설 **B** hide 숨다[숨기다], read 읽다, cook 요리하다, exercise 운동하다, shop 사다[쇼핑하다], solve 풀다[해결하다], prepare 준비하다, play (놀이 등을) 하다, stay 머무르다, take 먹다[복용하다], laugh 웃다, knit 뜨다[짜다], say 말하다

Grammar Fly! 170~171쪽

A
1 practiced running   2 stopped cutting
3 mind turning   4 hope to see
5 plan to save   6 began barking
7 continued climbing   8 feel like making
9 going skating   10 was busy feeding
11 what to buy   12 where to put
13 how to get   14 when to stop

B
1 He finished cleaning the house.

2 We stopped standing in the sun.

3 Jason wants to have a toy plane.

Grammar & Writing 172~173쪽

A
1 want to ride   2 hope to see
3 plan to visit   4 expect to take
5 want to walk   6 plan to take

B
1 is busy feeding chickens
2 is busy fixing the fence
3 is busy painting the wall
4 is busy milking a cow
5 is busy washing a horse
6 is busy watering cabbages

해설 **A** 1 (원하다, 타다) 나는 런던아이를 타고 싶다.

2 (바라다, 보다) 나는 호스 가즈 퍼레이드를 보기를 바란다.

3 (계획하다, 방문하다) 나는 웨스트민스터 사원을 방문할 계획이다.

4 (기대하다, 타다) 나는 이층 버스 타기를 기대한다.

5 (원하다, 걷다) 나는 타워 브리지 위를 걷고 싶다.

6 (계획하다, 찍다) 나는 대영 박물관 앞에서 사진을 찍을 계획이다.

B 1 에이미는 닭들에게 먹이를 주느라 바쁘다. (닭들에게 먹이를 주다)

2 톰은 울타리를 수리하느라 바쁘다. (울타리를 수리하다)

3 제임스는 벽을 페인트칠하느라 바쁘다. (벽을 페인트칠하다)

4 수잔은 젖소의 우유를 짜느라 바쁘다. (젖소의 우유를 짜다)

5 잭은 말을 씻기느라 바쁘다. (말을 씻기다)

6 브라이언은 양배추에 물을 주느라 바쁘다. (양배추에 물을 주다)

1 ❸   2 ❹   3 ❹
4 to solve   5 hiking   6 ❹   7 ❺
8 ❸   9 ❹   10 ❸   11 ❶
12 ❷   13 ❸   14 ❹   15 ❺
16 ❶   17 ❷   18 running
19 to help   20 to read
21 My grandma is busy feeding the cat.
22 He asked me where to put the boxes.
23 Tim feels like eating some soup.
24 My parents wanted to raise the iguana.
25 Ken hates going to the dentist.

해설

1 동사 want 뒤에는 목적어로 to부정사가 오므로 to travel이 알맞다.
- 스테이시는 이번 여름에 뉴욕으로 여행 가고 싶어 한다.

2 동사 enjoy 뒤에는 목적어로 동명사가 오므로 watching이 알맞다.
- 나는 나무의 새를 보는 것을 즐긴다.

3 feel like는 뒤에 동명사가 와서 feel like ~ing의 형태로 '~하고 싶다'라는 뜻이 되므로 riding이 알맞다.
- 샐리는 롤러코스터를 타고 싶었다.

4 '~하는 법/어떻게 ~할지'는 「how+to부정사」로 나타내므로 to solve가 알맞다.

5 '~하러 가다'는 go ~ing를 써서 나타내므로 hiking이 알맞다.

6 동사 begin 뒤에는 목적어로 to부정사와 동명사가 모두 올 수 있으므로 crying이 알맞다.
- 그 여자아이들은 슬프게 울기 시작했다.

7 동사 love 뒤에는 목적어로 to부정사와 동명사 모두 올 수 있으므로 to play가 알맞다.
- 우리 조부모님은 배드민턴을 치는 것을 좋아하신다.

8 be busy ~ing의 형태로 '~하느라 바쁘다'라는 뜻이 된다. 그러므로 catching이 알맞다.
- 짐은 잠자리를 잡느라 바빴다.

9 동사 finish 뒤에는 목적어로 동명사가 오므로 washing이 알맞다.
- 너는 설거지를 끝마쳤니?

10 동사 plan 뒤에는 목적어로 to부정사가 오므로 to draw가 알맞다.
- 그 화가는 그 산을 그릴 계획이다.

11 '무엇을 ~할지'는 「what+to부정사」로 나타내므로 what to do가 알맞다.
- 나는 무엇을 해야 할지 모르겠다.

12 '~하는 법/어떻게 ~할지'는 「how+to부정사」로 나타내므로 how to get to the library가 알맞다.

- 그는 내게 그 도서관에 가는 법을 말해 주었다.

13 '~하느라 바쁘다'는 be busy ~ing로 나타내므로 busy playing computer games가 알맞다.
- 그들은 컴퓨터 게임을 하느라 바빴다.

14 동사 promise 뒤에는 목적어로 to부정사가 오고, mind 뒤에는 목적어로 동명사가 온다.
- 그들은 내게 새 컴퓨터를 사 주기로 약속했다.
- 그 문 좀 닫아 줄래?

15 '~하고 싶다'는 feel like ~ing로 나타내고, '~하러 가다'는 go ~ing로 나타낸다.
- 화이트 씨는 수영을 하고 싶었다.
- 너는 내일 나와 함께 쇼핑하러 갈 수 있니?

16 '언제 ~할지'는 「when+to부정사」로 나타내고, 동사 hope 뒤에는 목적어로 to부정사가 온다.
- 나는 언제 그 경주를 시작할지 모르겠다.
- 우리는 머지않아 너를 다시 보기를 바란다.

17 동사 practice 뒤에는 목적어로 동명사가 오므로 ❷의 to dance는 dancing이 되어야 한다.
❶ 그들은 내게 어디로 갈지 물었다.
❷ Amy practiced dancing all day. 에이미는 하루 종일 춤추는 것을 연습했다.
❸ 그 개는 큰 소리로 짖기 시작했다.
❹ 이 선생님은 커피 마시는 것을 그만두었다.
❺ 그는 점심 식사로 햄버거를 먹기로 했다.

18 동사 keep 뒤에는 목적어로 동명사가 온다. run과 같이 「단모음+단자음」으로 끝나는 동사는 마지막 자음을 한 번 더 쓰고 -ing를 붙인다.

19 동사 want 뒤에는 목적어로 to부정사가 오므로 to help가 알맞다.

20 '무엇을 ~할지'는 「what+to부정사」로 나타내므로 to read가 알맞다.

21 be busy 뒤에는 동명사가 와서 be busy ~ing의 형태로 '~하느라 바쁘다'라는 뜻이 된다. 그러므로 to feed를 동명사인 feeding으로 바꿔 써야 한다.
- 우리 할머니는 고양이에게 먹이를 주느라 바쁘시다.

22 의문사 where 뒤에는 to부정사가 와서 「where+to부정사」의 형태로 '어디서[어디에] ~할지'라는 뜻이 된다. 그러므로 putting을 to put으로 바꿔 써야 한다.
- 그는 내게 그 상자들을 어디에 놓아야 할지 물어보았다.

23 feel like 뒤에는 동명사가 와서 feel like ~ing의 형태로 '~하고 싶다'라는 뜻이 된다. 그러므로 to eat를 eating으로 바꿔 써야 한다.
- 팀은 수프를 조금 먹고 싶다.

24 동사 want 뒤에는 목적어로 to부정사가 와야 하므로 to raise를 want 뒤에 쓴다.

25 동사 hate 뒤에는 목적어로 동명사와 to부정사가 모두 올 수 있다. 여기에서는 동명사 going이 있으므로 hates 뒤에 going을 쓴다.

Wrap Up

1 1 동명사 2 to부정사 3 동명사 4 to부정사
2 1 go 2 busy 3 like 4 what
　 5 어떻게 6 when 7 to부정사

Check up

went, to ski, skiing

만화 해석

친구: 너는 지난 주말에 무엇을 했니?
서니: 나는 스노위와 스키를 타러 갔어.
친구: 너는 스키 타는 것을 좋아하니?
서니: 응, 나는 스키 타는 것을 무척 좋아해.

REVIEW TEST · 04 180~183쪽

1 ❶	2 ❶	3 ❸	4 ❹
5 selling	6 cooking	7 ❺	8 ❹
9 ❹	10 ❷	11 ❹	12 ❶
13 ❷	14 ❶	15 ❸	

16 in　17 go　18 like

19 Sarah was busy talking on the phone.

20 Jake promised to help me with my homework.

해설

1 「단모음+단자음」으로 끝나는 동사는 마지막 자음을 한 번 더 쓰고 -ing를 붙인다.
　❶ swim – swimming 수영하다 – 수영하는 것/수영하기
　❷ 스키를 타다 – 스키 타는 것/스키 타기
　❸ 날다 – 나는 것/날기
　❹ 타다 – 타는 것/타기
　❺ 가르치다 – 가르치는 것/가르치기

2 -e로 끝나는 동사는 -e를 빼고 -ing를 붙인다.
　❶ take – taking 가지고 가다 – 가지고 가는 것/가지고 가기
　❷ 씻다 – 씻는 것/씻기
　❸ 조깅하다 – 조깅하는 것/조깅하기
　❹ 쓰다 – 쓰는 것/쓰기
　❺ 가다 – 가는 것/가기

3 동사 is 앞에는 주어가 와야 하고, 주어로 쓰일 수 있는 것은 to부정사와 동명사이므로 동명사인 ❸이 알맞다.
　• 만화책을 읽는 것은 재미있다.

4 동사 stopped 뒤에는 목적어가 와야 하고, stop 뒤에 목적어로 동명사가 오므로 동명사인 ❹가 알맞다.
　• 우리는 침대 위에서 점프하는 것을 멈추었다.

5 동사 is 뒤에는 보어가 와야 하고, 보어로 쓰일 수 있는 것은 to부정사와 동명사이므로 동명사인 selling이 알맞다.

6 전치사 at의 목적어로 쓰일 수 있는 것은 동명사이므로 cooking이 알맞다. to부정사는 전치사의 목적어로 쓰일 수 없다.

7 동사 enjoy는 뒤에 목적어로 동명사가 오므로 ❺의 to play는 playing이 되어야 한다.
　❶ 토니는 표를 파는 것을 그만두었다.
　❷ 그녀는 불쌍한 사람들을 돌보는 것에 관심이 있다.
　❸ 제이슨은 웃기 시작했다.
　❹ 나는 무엇을 입을지 결정할 수 없다.
　❺ I enjoy playing soccer. 나는 축구하는 것을 즐긴다.

8 전치사 of의 목적어로 쓰일 수 있는 것은 동명사이므로 동명사인 ❹가 알맞다.
　• 내 여동생은 요가를 하는 것에 싫증이 났다.

9 be busy 뒤에는 동명사가 와서 be busy ~ing의 형태로 '~하느라 바쁘다'라는 뜻이 된다. 그러므로 동명사인 ❹가 알맞다.
　• 잭은 자신의 방을 청소하느라 바빴다.

10 go 뒤에는 동명사가 와서 go ~ing의 형태로 '~하러 가다'라는 뜻이 된다. 그러므로 동명사인 ❷가 알맞다.
　• 그들은 이번 토요일에 스케이트를 타러 갈 계획이다.

11 feel like 뒤에는 동명사가 와서 feel like ~ing의 형태로 '~하고 싶다'라는 뜻이 된다.
　❶ Please tell me where to go. 내게 어디로 갈지 말해 주세요.
　❷ They wanted to see the star. 그들은 그 별을 보고 싶었다.
　❸ They taught me how to read it. 그들은 내게 그것을 읽는 법을 가르쳐 주었다.
　❹ 에밀리는 음악을 듣고 싶었다.
　❺ I don't mind turning on the radio. 나는 라디오를 켜도 상관없다.

12 '~에 서투르다, ~을 못하다'는 be poor at이고, 전치사 at의 목적어로 쓰일 수 있는 것은 동명사이므로 ❶이 알맞다.

13 '~에 대해 미안해하다'는 be sorry for이고, 전치사 for의 목적어로 쓰일 수 있는 것은 동명사이므로 ❷가 알맞다.

14 동사 promise는 뒤에 목적어로 to부정사가 온다.

15 동사 practice는 뒤에 목적어로 동명사가 오고, expect는 뒤에 목적어로 to부정사가 온다.
　• 제니는 이틀 동안 피아노 치는 것을 연습했다.
　• 그들은 금메달을 따기를 기대했다.

16 '~에 관심이 있다'는 be interested in을 쓴다.

17 '~하러 가다'는 go ~ing를 쓴다.

18 '~하고 싶다'는 feel like ~ing를 쓴다.

19 be busy 뒤에는 동명사가 와서 be busy ~ing의 형태로 '~하느라 바쁘다'라는 뜻이 된다. 그러므로 to talk를 동명사인 talking으로 바꿔 써야 한다.
　• 사라는 전화 통화를 하느라 바빴다.

20 동사 promise는 뒤에 목적어로 to부정사가 오므로 helping을 to help로 바꿔 써야 한다.
　• 제이크는 내가 숙제하는 것을 도와주기로 약속했다.

Final Test · 01

1 ❸	2 ❸	3 newer	4 the
tallest	5 too	6 ❷	7 ❷
8 ❶	9 ❷	10 ❹	11 ❶
12 ❸	13 ❹	14 ❹	15 ❸

16 She is poor at cooking.

17 To play computer games is exciting.

18 We need some sugar.

19 He always has breakfast at seven.

20 Gogh didn't give up drawing pictures.

해설

1 셀 수 있는 명사가 둘 이상일 때는 복수형을 쓴다. 「자음+y」로 끝나는 명사는 -y를 -i로 바꾸고 -es를 붙여 복수형을 만든다.
  • 탁자 아래에 강아지 세 마리가 있다.

2 셀 수 없는 명사인 bread는 loaf를 사용해서 양을 나타낼 수 있다. 셀 수 없는 명사의 여러 수량을 표현할 때는 숫자 뒤의 용기나 단위를 복수형으로 쓴다. loaf의 복수형은 loaves 이다.
  • 엄마는 아침 식사를 위해 빵 세 덩어리를 사셨다.

3 '~보다 …한/하게'는 「비교급+than」으로 나타낸다. 그러므로 new의 비교급인 newer가 알맞다.

4 '~ 중에서 가장 …한/하게'는 「(the)+최상급+in/of」로 나타낸다. 그러므로 tall의 최상급인 the tallest가 알맞다.

5 too는 긍정문 뒤에 쓰이고, either는 부정문 뒤에 쓰인다. 이 문장은 긍정문이므로 too가 알맞다.

6 '~만큼 …한/하게'는 「as+원급+as」로 나타낸다. '그(him)만큼 노래를 잘(well) 부르는' 것이므로 원급인 well이 알맞다.
  • 그의 여동생은 그만큼 노래를 잘 부른다.

7 '~가 할 수 있는 한 …하게'는 「as+원급+as+주어+can[could]」로 나타낸다. 여기에서는 문장의 시제가 과거이므로 could가 알맞다.
  • 그 도둑들은 할 수 있는 한 빨리 도망쳤다.

8 '점점 더 ~한[하게]'는 「비교급+and+비교급」으로 나타내므로 첫 번째 문장의 빈칸에는 and가 알맞다. 그리고 '가장 ~한 …들 중 하나'는 「one of the+최상급+복수명사」로 나타내므로 두 번째 문장의 빈칸에는 of가 알맞다.
  • 날씨가 점점 더 추워지고 있다.
  • 현아는 우리 학교에서 가장 예쁜 여자아이들 중 한 명이다.

9 '훨씬 ~한/하게'라는 뜻으로 비교급을 강조할 때는 비교급 앞에 much, a lot, far, still, even 등을 쓰므로 첫 번째 문장의 빈칸에는 much가 알맞다. 그리고 '~만큼 …하지 않은/않게'는 「not as+원급+as」로 나타내므로 두 번째 문장의 빈칸에는 as가 알맞다.
  • 그 면바지는 그 바지보다 훨씬 비싸다.
  • 캐시는 그만큼 공을 멀리 던지지 않았다.

10 to부정사는 감정을 나타내는 형용사(happy) 뒤에서 그 형용사를 꾸며 줄 때 '~하다니', '~해서'라는 뜻이 된다.
  ❶ 그녀는 읽을 미술 잡지 한 권을 가지고 있다.
  ❷ 소리는 롤러코스터 타는 것을 무척 좋아한다.
  ❸ 케이크를 만드는 것은 쉬웠다.
  ❹ 제임스는 그 경기에 이겨서 기뻤다.
  ❺ 폴은 TV를 보기 위해 집에 일찍 왔다.

11 동사 enjoy는 목적어로 동명사가 오므로 ❶의 to play는 playing이 되어야 한다.
  ❶ Dad enjoys playing tennis. 아빠는 테니스 치는 것을 즐기신다.
  ❷ 주디는 무용수가 되기를 원한다.
  ❸ 그는 바닥을 쓰는 것을 끝마쳤니?
  ❹ 그들은 영화를 보러 갈 계획이다.
  ❺ 그 아이는 계속 줄넘기를 했다.

12 명사 앞에 형용사와 소유격이 함께 오면 「소유격+형용사+명사」 순으로 쓴다.
  ❶ 그녀의 고양이는 귀엽다.
  ❷ 그 별은 매우 아름다웠다.
  ❸ My red wallet is over there. 내 빨간색 지갑이 저기에 있다.
  ❹ 그 토끼는 매우 빨리 달렸다.
  ❺ 저 검은색 개들은 밀러 씨의 것이다.

13 to부정사가 '~하기 위해'라는 뜻으로 동사의 목적이나 이유를 나타낼 때 부사처럼 앞에 나온 동사를 꾸며 준다. 도서관에 간 목적을 나타내는 말이 필요하므로 to부정사가 쓰인 ❹가 알맞다.
  • 제임스는 그 책을 빌리기 위해 도서관에 갔다.

14 명사처럼 문장에서 주어로 쓰일 수 있는 것은 동명사와 to부정사이다. 그러므로 동명사가 쓰인 ❹가 알맞다.
  • 연을 날리는 것은 재미있다.

15 동사 hope는 뒤에 목적어로 to부정사가 오므로 to부정사가 쓰인 ❸이 알맞다.
  • 우리는 당신을 다시 보기를 바랍니다.

16 '~을 못하다'는 be poor at이고, 전치사 다음에는 목적어로 동명사가 와야 하므로 at 뒤에 cooking을 써서 문장을 만든다.

17 to부정사는 문장에서 주어로 쓰일 수 있다. to부정사는 to 뒤에 동사원형이 오므로 to play를 써서 문장을 만든다.

18 셀 수 없는 명사(sugar)는 복수형으로 쓸 수 없으므로 some sugar 그대로 써서 문장을 만든다.

19 현재의 습관을 나타내는 현재 시제이고 주어가 3인칭 단수이므로 have를 has로 바꾸고, 빈도부사(always)는 일반동사 (has) 앞에 써서 문장을 만든다.

20 일반동사 과거 시제의 부정문이므로 「didn't+동사원형」의 형태로 쓰고, give up은 뒤에 목적어로 동명사가 와야 하므로 give up drawing을 써서 문장을 만든다.

Final Test ·· 02

188~191쪽

1 ❷	2 ❶	3 ❺	4 ❹
5 ❺	6 a little	7 pieces	8 soon
9 ❹	10 ❸	11 ❷	12 ❸
13 ❷	14 ❹	15 ❸	

16 The cow became fatter and fatter.

17 They practiced playing the piano all day.

18 My family is planning to visit his house this weekend.

19 You may sometimes use my dictionary.

20 Amelia's dream is flying in the sky.

해설

1 ❷는 셀 수 있는 명사이고, ❶, ❸, ❹, ❺는 셀 수 없는 명사이다.
　❶ 대기, 공기 ❷ 염소 ❸ 물 ❹ 핼러윈 ❺ 한국

2 ❶은 셀 수 없는 명사이고, ❷, ❸, ❹, ❺는 셀 수 있는 명사이다.
　❶ 모래 ❷ 필통 ❸ 칼 ❹ 꽃 ❺ 늑대

3 '훨씬 ~한/하게'라는 뜻으로 비교급을 강조할 때는 비교급 앞에 much, a lot, far, still, even 등을 쓰고, very는 비교급 앞에 쓸 수 없다.
　• 그는 자기 누나보다 _____ 무겁다.
　❶ 훨씬 ❷ 훨씬 ❸ 훨씬 ❹ 훨씬 ❺ 매우

4 dog는 명사이므로 빈칸에는 명사를 앞에서 꾸며 주는 말인 형용사가 알맞다. very는 부사이므로 명사를 꾸밀 수 없다.
　• 내 _____ 개는 그 의자에 앉아 있었다.
　❶ 빨간색의 ❷ 큰 ❸ 작은 ❹ 매우 ❺ 용감한

5 '~하게, ~이/히' 등의 뜻으로 동사를 꾸며 주는 것은 부사이므로 빈칸에는 부사가 알맞다. quiet는 형용사이므로 동사를 꾸밀 수 없다.
　• 켄은 노래를 _____ 부르고 있다.
　❶ 큰 소리로 ❷ 천천히 ❸ 빨리 ❹ 아름답게 ❺ 조용한

6 '몇몇의, 약간의'라는 뜻으로 셀 수 없는 명사 앞에 쓰이는 수량 형용사는 a little이다. little은 셀 수 없는 명사 앞에 쓰이기는 하지만, '거의 없는'이라는 뜻이다.

7 셀 수 없는 명사인 pizza는 piece를 사용해서 양을 나타낸다. 셀 수 없는 명사의 여러 수량을 표현할 때는 숫자 뒤의 용기나 단위를 복수형으로 쓴다. piece의 복수형은 pieces이다.

8 '가능한 한 ~하게'는 「as+원급+as possible」로 나타낸다. '가능한 한 빨리'라고 했으므로 soon을 넣어 as soon as possible이 되어야 한다.

9 '~보다 …한/하게'는 「비교급+than」으로 나타내고, '높은'은 high이다. 그러므로 high의 비교급인 higher가 알맞다.
　❶ 높은 ❷ 더 높은 ❸ 가장 높은 ❹ 낮은 ❺ 더 낮은

10 '~ 중에서 가장 …한/하게'는 「(the)+최상급+in/of」로 나타

내고 '힘이 센'은 strong이다. 그러므로 strong의 최상급인 the strongest가 알맞다.
　❶ 힘이 센 ❷ 더 힘이 센 ❸ 가장 힘이 센 ❹ 더 약한
　❺ 가장 약한

11 '~만큼 …한/하게'는 「as+원급+as」로, '~만큼 …하지 않은/ 않게'는 「not as+원급+as」로 나타낸다. 그러므로 빈칸에는 공통으로 as가 알맞다.
　• 소냐는 자기 친구만큼 운이 좋았다.
　• 잭은 너만큼 열심히 공부하지 않는다.

12 동사 like와 hate는 뒤에 목적어로 to부정사와 동명사 둘 다 올 수 있다. 여기에서는 빈칸 뒤에 동사원형이 있으므로 빈칸에는 to가 알맞다.
　• 나는 책 읽는 것을 좋아한다.
　• 그 아이들은 수영장에서 수영하는 것을 매우 싫어한다.

13 '가장 ~한 …들 중 하나'는 「one of the+최상급+복수명사」로 나타내므로 첫 번째 문장의 빈칸에는 airports가 알맞다. 그리고 '가능한 한 ~하게'는 「as+원급+as possible」로 나타내므로 두 번째 문장의 빈칸에는 possible이 알맞다.
　• 히드로 공항은 세계에서 가장 유명한 공항들 중 하나이다.
　• 제니는 가능한 한 자주 걸었다.

14 동사 promise는 뒤에 목적어로 to부정사가 온다.

15 Do you mind ~?는 '~해 줄래(요)?'라는 뜻으로 상대방에게 부탁하는 표현이고, 동사 mind는 뒤에 목적어로 동명사가 온다.

16 '점점 더 ~한/하게'는 「비교급+and+비교급」으로 나타낸다. fat의 비교급은 more fat이 아니라 fatter이므로 more and more fat을 fatter and fatter로 바꿔 써야 한다.
　• 그 소는 점점 더 뚱뚱해졌다.

17 동사 practice는 뒤에 목적어로 동명사가 온다. 그러므로 to play를 playing으로 바꿔 써야 한다.
　• 그들은 하루 종일 피아노 치는 것을 연습했다.

18 동사 plan은 뒤에 목적어로 to부정사가 온다. 그러므로 visiting을 to visit으로 바꿔 써야 한다.
　• 우리 가족은 이번 주말에 그의 집을 방문할 계획이다.

19 빈도부사는 조동사 뒤에 와야 하므로 조동사 may 뒤에 빈도부사 sometimes를 써서 문장을 만든다.

20 동명사는 명사처럼 보어 역할을 한다. 그러므로 be동사 is 뒤에 flying을 써서 문장을 만든다.

MEMO

Grammar, ZAP!

VOCABULARY
단어장

심화 **2**

TOPIA

Aha!

" 단어장 활용 방법 "

각 Unit의 학습 내용과 관련된 핵심 단어들을 확인합니다.

우리말 뜻을 보며 정확하게 이해하면서 외워 봐요.

이때 영어 단어는 개별적으로 외우지 말고 문장과 함께 외우도록 합니다.

퀴즈를 풀며 잘 모르는 단어는 다시 한 번 확인해 보는 것도 잊지 마세요!

Grammar, Z*P!

VOCABULARY
단어장

심화 **2**

01

give
⑧ 주다

Give me two sheets of paper.
내게 종이 두 장을 줘.

02

sleep
⑧ (잠을) 자다

A baby is sleeping.
아기 한 명이 잠을 자고 있다.

03

forest
⑲ 숲

I saw a deer in the forest.
나는 숲에서 사슴 한 마리를 보았다.

04

carry
⑧ 들고 있다, 나르다

My brother was carrying a heavy box.
우리 오빠는 무거운 상자 하나를 나르고 있었다.

05

order
⑧ 주문하다

Kevin ordered a glass of juice.
케빈은 주스 한 컵을 주문했다.

06

usually
⑨ 보통, 대개

Sarah usually eats a slice of toast in the morning.
사라는 보통 아침에 토스트 한 조각을 먹는다.

07

bring
⑧ 가져오다

They brought a bar of soap.
그들은 비누 한 개를 가져왔다.

08

soap
⑲ 비누

She bought three bars of soap.
그녀는 비누 세 개를 샀다.

09

buy
⑧ 사다

The doctor bought three potatoes.
그 의사는 감자 세 개를 샀다.

10

gym
⑲ 체육관

Four boys were running in the gym.
남자아이 네 명이 체육관에서 달리고 있었다.

01	**break** ⑧ 깨나, 부수나	Nancy broke three dishes. 낸시는 접시 세 장을 깨뜨렸다.
02	**yard** ⑲ 마당	There was a tree in the yard. 마당에 나무 한 그루가 있었다.
03	**put** ⑧ 넣다[놓다]	Put two spoonfuls of sugar in my tea. 내 차에 설탕 두 숟가락을 넣어라.
04	**borrow** ⑧ 빌리다	He borrowed a dictionary from the library. 그는 도서관에서 사전 한 권을 빌렸다.
05	**raise** ⑧ 키우다, 기르다	Edgar raises a puppy. 에드가는 강아지 한 마리를 키운다.
06	**catch** ⑧ 잡다, 받다	The police officer caught a wolf on the street. 그 경찰관은 거리에서 늑대 한 마리를 잡았다.
07	**corn** ⑲ 옥수수	My uncle bought six cans of corn. 우리 삼촌은 옥수수 여섯 캔을 사셨다.
08	**crayon** ⑲ 크레용	Sumi will bring five crayons for the play. 수미는 연극을 위해 크레용 다섯 개를 가져올 것이다.
09	**vase** ⑲ 꽃병	Minsu will bring two vases for the play. 민수는 연극을 위해 꽃병 두 개를 가져올 것이다.
10	**kettle** ⑲ 주전자	Yuri will bring two kettles for the play. 유리는 연극을 위해 주전자 두 개를 가져올 것이다.

✖ 다음 영어에 알맞은 우리말 뜻을 빈칸에 쓰세요.

01 give _____

02 sleep _____

03 forest _____

04 carry _____

05 order _____

06 usually _____

07 bring _____

08 soap _____

09 buy _____

10 gym _____

✖ 다음 우리말 뜻에 알맞은 영어를 빈칸에 쓰세요.

01　깨다, 부수다　＿＿＿＿＿＿＿＿＿＿＿＿＿＿＿＿＿＿＿

02　마당　＿＿＿＿＿＿＿＿＿＿＿＿＿＿＿＿＿＿＿

03　넣다[놓다]　＿＿＿＿＿＿＿＿＿＿＿＿＿＿＿＿＿＿＿

04　빌리다　＿＿＿＿＿＿＿＿＿＿＿＿＿＿＿＿＿＿＿

05　키우다, 기르다　＿＿＿＿＿＿＿＿＿＿＿＿＿＿＿＿＿＿＿

06　잡다, 받다　＿＿＿＿＿＿＿＿＿＿＿＿＿＿＿＿＿＿＿

07　옥수수　＿＿＿＿＿＿＿＿＿＿＿＿＿＿＿＿＿＿＿

08　크레용　＿＿＿＿＿＿＿＿＿＿＿＿＿＿＿＿＿＿＿

09　꽃병　＿＿＿＿＿＿＿＿＿＿＿＿＿＿＿＿＿＿＿

10　주전자　＿＿＿＿＿＿＿＿＿＿＿＿＿＿＿＿＿＿＿

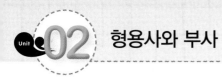
01	**people** 명 사람들	There weren't many people on the street. 거리에 사람들이 많이 없었다.
02	**empty** 형 비어 있는, 빈	Michael collected empty cans. 마이클은 빈 깡통들을 모았다.
03	**shine** 동 빛나다, 반짝이다	The sun shines brightly. 태양이 밝게 빛난다.
04	**interesting** 형 재미있는, 흥미로운	My grandma told me an interesting story. 우리 할머니는 내게 재미있는 이야기를 들려주셨다.
05	**colorful** 형 형형색색의, 화려한	Laura wants those colorful pants. 로라는 저 화려한 바지를 원한다.
06	**broccoli** 형 브로콜리	This broccoli soup is delicious. 이 브로콜리 수프는 맛있다.
07	**bucket** 형 양동이	There is a little water in the bucket. 양동이 안에 물이 조금 있다.
08	**easily** 부 쉽게, 수월하게	My uncle makes kites easily. 우리 삼촌은 연을 수월하게 만드신다.
09	**quite** 부 꽤, 상당히	Dorothy came here quite early. 도로시는 꽤 일찍 여기에 왔다.
10	**sleepy** 형 졸리운, 졸음이 오는	I am sleepy. 나는 졸리다.

01	**famous** 형 유명한	Einstein was a famous scientist. 아인슈타인은 유명한 과학자였다.
02	**cross** 통 건너다, 가로지르다	Jack was crossing the street carefully. 잭은 조심스럽게 길을 건너고 있었다.
03	**clown** 형 광대	Look at that funny clown. 저 웃긴 어릿광대를 봐.
04	**move** 통 움직이다	A cheetah moves quickly. 치타는 빠르게 움직인다.
05	**exciting** 형 신 나는, 흥미진진한	The movie is really exciting. 그 영화는 정말 흥미진진하다.
06	**keep one's promise** 약속을 지키다	Amy always keeps her promises. 에이미는 항상 약속을 지킨다.
07	**forget** 통 잊다	I will never forget your name. 나는 네 이름을 결코 잊지 않을 것이다.
08	**lizard** 형 도마뱀	The lizard's tail is long. 그 도마뱀의 꼬리는 길다.
09	**neighbor** 형 이웃(사람)	Our neighbors are kind. 우리 이웃들은 친절하다.
10	**on time** 정각에	My uncle never comes on time. 우리 삼촌은 결코 정각에 오시지 않는다.

✖ 다음 영어에 알맞은 우리말 뜻을 빈칸에 쓰세요.

01   people   _____

02   empty   _____

03   shine   _____

04   interesting   _____

05   colorful   _____

06   broccoli   _____

07   bucket   _____

08   easily   _____

09   quite   _____

10   sleepy   _____

✖ 다음 우리말 뜻에 알맞은 영어를 빈칸에 쓰세요.

01   유명한   _____ _____

02   건너다, 가로지르다   _____

03   광대   _____

04   움직이다   _____

05   신 나는, 흥미진진한   _____

06   약속을 지키다   _____

07   잊다   _____

08   도마뱀   _____

09   이웃(사람)   _____

10   정각에   _____

01	**spring** ⑲ 봄	I like spring the best. 나는 봄을 가장 좋아한다.
02	**far** ⑲ 먼	Busan is farther than Daegu. 부산은 대구보다 멀다.
03	**brave** ⑲ 용감한	John was the bravest of all the boys. 존은 그 남자아이들 중에서 가장 용감했다.
04	**dirty** ⑲ 더러운, 지저분한	Kelly's jeans are dirtier than Tony's. 켈리의 면바지가 토니의 것보다 더럽다.
05	**wise** ⑲ 지혜로운, 현명한	Amy is a wise girl. 에이미는 현명한 여자아이이다.
06	**popular** ⑲ 인기 있는	Sally is more popular than you. 샐리는 너보다 인기가 있다.
07	**bat** ⑲ 방망이, 배트	This bat is better than that one. 이 야구 방망이는 저것보다 좋다.
08	**village** ⑲ 마을	What was the most interesting news in the village? 그 마을에서 가장 재미있는 뉴스는 무엇이었니?
09	**season** ⑲ 계절	Winter is the coldest season of the year. 겨울은 일 년 중 가장 추운 계절이다.
10	**comfortable** ⑲ 편한, 편안한	The brown sofa looks the most comfortable of the three. 그 갈색 소파가 셋 중에서 가장 편안해 보인다.

01	**score** 몡 득점, 점수	Pang got the worst score of us all. 팽이 우리 중에서 가장 나쁜 점수를 받았다.
02	**feel** 통 (감정 등을) 느끼다	Sam feels better today than yesterday. 샘은 어제보다 오늘 기분이 좋다.
03	**snail** 몡 달팽이	A snail is slower than a turtle. 달팽이가 거북이보다 느리다.
04	**December** 몡 12월	December is the hottest month in Australia. 호주에서는 12월이 가장 더운 달이다.
05	**exam** 몡 시험	This exam was the easiest of all the exams. 이 시험이 모든 시험들 중에서 가장 쉬웠다.
06	**cheap** 몡 (값이) 싼	Apples were cheaper than tomatoes. 사과가 토마토보다 값이 쌌다.
07	**cucumber** 몡 오이	The cucumbers were fresh. 오이는 신선했다.
08	**goldfish** 몡 금붕어	A goldfish is a quiet pet. 금붕어는 조용한 애완동물이다.
09	**great** 몡 위대한, 훌륭한	She is a great pianist. 그녀는 위대한 피아노 연주가이다.
10	**slipper** 몡 실내화, 슬리퍼 (한 짝)	These slippers are older than the boots. 이 슬리퍼가 그 장화보다 낡았다.

✖ 다음 영어에 알맞은 우리말 뜻을 빈칸에 쓰세요.

01   spring   _____

02   far   _____

03   brave   _____

04   dirty   _____

05   wise   _____

06   popular   _____

07   bat   _____

08   village   _____

09   season   _____

10   comfortable   _____

✖ 다음 우리말 뜻에 알맞은 영어를 빈칸에 쓰세요.

01 득점, 점수

02 (감정 등을) 느끼다

03 달팽이

04 12월

05 시험

06 (값이) 싼

07 오이

08 금붕어

09 위대한, 훌륭한

10 실내화, 슬리퍼 (한 짝)

01	**grasshopper** 명 메뚜기	An ant is not as big as a grasshopper. 개미는 메뚜기만큼 크지 않다.
02	**possible** 형 가능한	Call the police as soon as possible. 가능한 한 빨리 경찰에 전화해라.
03	**stone** 명 돌, 돌맹이	Paper is not as heavy as stone. 종이는 돌만큼 무겁지 않다.
04	**get out of** ~에서 나가다	They got out of the building as soon as they could. 그들은 할 수 있는 한 빨리 그 건물에서 나갔다.
05	**dark** 형 어두운, 캄캄한	It's getting darker and darker. 점점 더 어두워지고 있다.
06	**strange** 형 이상한	Nick grew stranger and stranger. 닉은 점점 더 이상해졌다.
07	**crowded** 형 붐비는	Seoul is a lot more crowded than Gimpo. 서울은 김포보다 훨씬 붐빈다.
08	**close** 형 가까운	The park is not as close as the hospital. 그 공원은 병원만큼 가깝지 않다.
09	**wide** 형 넓은, 너른	The Thames isn't as wide as the Hangang. 템즈 강은 한강만큼 넓지 않다.
10	**hard** 형 단단한	Diamond is even harder than stone. 다이아몬드는 돌보다 훨씬 단단하다.

01	**scorpion** 몡 전갈	A scorpion is one of the most dangerous animals in the world. 전갈은 세상에서 가장 위험한 동물 중 하나이다.
02	**eagle** 몡 독수리	The kite flew as high as an eagle. 그 연은 독수리만큼 높이 날았다.
03	**moth** 몡 나방	A moth is not as colorful as a butterfly. 나방은 나비만큼 화려하지 않다.
04	**quietly** 믱 조용히	Joe spoke as quietly as Alex. 조는 알렉스만큼 조용히 말했다.
05	**throw** 뫵 던지다	I threw the ball as far as I could. 나는 할 수 있는 한 멀리 그 공을 던졌다.
06	**voice** 몡 목소리	Your voice is as soft as his voice. 네 목소리는 그의 목소리만큼 부드럽다.
07	**ice hockey** 아이스하키	Golf is not as dangerous as ice hockey. 골프는 아이스하키만큼 위험하지 않다.
08	**be back** 돌아오다	I'll be back as soon as I can. 나는 할 수 있는 한 빨리 돌아올 것이다.
09	**desert** 몡 사막	The Sahara Desert is one of the largest deserts in Africa. 사하라 사막은 아프리카에서 가장 큰 사막들 중 하나이다.
10	**hero** 몡 영웅	Hercules was one of the bravest heroes in Greece. 헤라클레스는 그리스에서 가장 용감한 영웅들 중 한 명이었다.

✖ 다음 영어에 알맞은 우리말 뜻을 빈칸에 쓰세요.

01   grasshopper   _____

02   possible   _____

03   stone   _____

04   get out of   _____

05   dark   _____

06   strange   _____

07   crowded   _____

08   close   _____

09   wide   _____

10   hard   _____

✖ 다음 우리말 뜻에 알맞은 영어를 빈칸에 쓰세요.

01   전갈   _____

02   독수리   _____

03   나방   _____

04   조용히   _____

05   던지다   _____

06   목소리   _____

07   아이스하키   _____

08   돌아오다   _____

09   사막   _____

10   영웅   _____

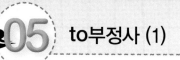
01	**magician** 몡 마술사	Jeff wanted to become a magician. 제프는 마술사가 되고 싶어 했다.
02	**hate** 통 몹시 싫어하다	Nami hates to read books. 나미는 책 읽는 것을 매우 싫어한다.
03	**decide** 통 결정하다	He decided to study math. 그는 수학을 공부하기로 결심했다.
04	**lose weight** 몸무게를 줄이다	They decided to lose weight. 그들은 몸무게를 줄이기로 결심했다.
05	**suddenly** 뷔 갑자기	Junsu began to sing suddenly. 준수는 갑자기 노래하기 시작했다.
06	**hobby** 몡 취미	To listen to music is my hobby. 음악을 듣는 것이 내 취미이다.
07	**habit** 몡 습관, 버릇	To keep a diary is a good habit. 일기를 쓰는 것은 좋은 습관이다.
08	**believe** 통 믿다	To see is to believe. 보는 것이 믿는 것이다.
09	**follow** 통 (충고나 지시 등을) 따르다	To follow the traffic rules is important. 교통 규칙을 따르는 것은 중요하다.
10	**sew** 통 바느질하다	My hobby is to sew. 내 취미는 바느질하는 것이다.

01	**engineer** 몡 기술자	Sam decided to become an engineer. 샘은 기술자가 되기로 결심했다.
02	**seat belt** 안전띠, 안전벨트	You need to wear your seat belt. 너는 안전띠를 매야 한다.
03	**lend** 통 빌려 주다	Edgar promised to lend the book to me. 에드가는 내게 그 책을 빌려 주기로 약속했다.
04	**wish** 몡 바람, 소망	Jake's wish was to live with his family. 제이크의 소망은 자기 가족과 함께 사는 것이었다.
05	**soldier** 몡 군인	His dream is to become a soldier. 그의 꿈은 군인이 되는 것이다.
06	**win** 통 이기다, 우승하다	Hojin wanted to win the race. 호진이는 그 경주에서 이기고 싶어 했다.
07	**contest** 몡 대회, 시합	Sue's goal is to win the contest. 수의 목표는 그 대회에서 우승하는 것이다.
08	**pass** 통 통과하다	I want to pass the test. 나는 그 시험에 통과하기를 원한다.
09	**return** 통 돌려주다, 반납하다	I forgot to return the book. 나는 그 책을 돌려주는 것을 잊어버렸다.
10	**paper money** 지폐	People began to use paper money. 사람들은 지폐를 사용하기 시작했다.

✖ 다음 영어에 알맞은 우리말 뜻을 빈칸에 쓰세요.

01 magician _____

02 hate _____

03 decide _____

04 lose weight _____

05 suddenly _____

06 hobby _____

07 habit _____

08 believe _____

09 follow _____

10 sew _____

✖ 다음 우리말 뜻에 알맞은 영어를 빈칸에 쓰세요.

01   기술자   _____

02   안전띠, 안전벨트   _____

03   빌려 주다   _____

04   바람, 소망   _____

05   군인   _____

06   이기다, 우승하다   _____

07   대회, 시합   _____

08   통과하다   _____

09   돌려주다, 반납하다   _____

10   지폐   _____

01	**finish** 동 끝내다, 마치다	Kevin has lots of homework to finish. 케빈은 끝내야 할 숙제가 많이 있다.
02	**send** 동 보내다	Monica has a letter to send him. 모니카는 그에게 보낼 편지 한 통을 가지고 있다.
03	**surprised** 형 놀란, 놀라는	They were surprised to learn the truth. 그들은 사실을 알게 되어 놀랐다.
04	**pleased** 형 기쁜, 기뻐하는	We were pleased to get the letter. 우리는 그 편지를 받아서 기뻤다.
05	**unhappy** 형 불행한, 슬픈	Harry was unhappy to fight with his best friend. 해리는 자신의 가장 친한 친구와 싸워서 기분이 좋지 않았다.
06	**lie down** 눕다, 누워 있다	Giraffes sometimes lie down to sleep. 기린은 때때로 잠을 자기 위해 눕는다.
07	**riddle** 명 수수께끼	a riddle to solve 풀어야 할 수수께끼
08	**upset** 형 속상한, 마음이 상한	We were upset to lose the game. 우리는 그 경기에 져서 속상했다.
09	**succeed** 동 성공하다	Steve Jobs worked hard to succeed. 스티브 잡스는 성공하기 위해 열심히 일했다.
10	**lose** 동 잃어버리다	They were sad to lose their puppy. 그들은 자신들의 강아지를 잃어버려서 슬펐다.

01	**think** 동 생각하다	We need some time to think. 우리는 생각할 시간이 조금 필요하다.
02	**prize** 명 상	She was happy to win the prize. 그녀는 상을 타서 행복했다.
03	**field trip** 현장 학습	Amy was excited to go on a field trip. 에이미는 현장 학습을 가게 돼서 신이 났다.
04	**fresh** 형 신선한	Fred had fresh water to drink. 프레드는 신선한 마실 물이 있었다.
05	**secret** 명 비밀	I have a secret to tell you. 나는 네게 말할 비밀이 있다.
06	**report card** 성적표	My mom was upset to see my report card. 우리 엄마는 내 성적표를 보시고 속상해하셨다.
07	**say good-bye** 작별 인사를 하다	I am sad to say good-bye to you. 나는 네게 작별 인사를 하게 되어 슬프다.
08	**poor** 형 가난한	Ms. Ha is a doctor to help poor people. 하 선생님은 가난한 사람들을 돕는 의사이다.
09	**cafeteria** 명 구내식당	Nancy went to the school cafeteria to have lunch. 낸시는 점심 식사를 하기 위해 학교 식당에 갔다.
10	**cheer for** 응원하다	My sister came to cheer for me. 우리 누나가 나를 응원하기 위해 왔다.

✖ 다음 영어에 알맞은 우리말 뜻을 빈칸에 쓰세요.

01 finish   _____

02 send   _____

03 surprised   _____

04 pleased   _____

05 unhappy   _____

06 lie down   _____

07 riddle   _____

08 upset   _____

09 succeed   _____

10 lose   _____

✖ 다음 우리말 뜻에 알맞은 영어를 빈칸에 쓰세요.

01   생각하다 _____

02   상 _____

03   현장 학습 _____

04   신선한 _____

05   비밀 _____

06   성적표 _____

07   작별 인사를 하다 _____

08   가난한 _____

09   구내식당 _____

10   응원하다 _____

01	**job** 명 일, 직업	His job is fixing cars. 그의 일은 자동차를 수리하는 것이다.
02	**dive** 통 뛰어들다, 다이빙하다	Diving is difficult. 다이빙을 하는 것은 어렵다.
03	**dream** 명 꿈	Her dream is flying in the sky. 그녀의 꿈은 하늘을 나는 것이다.
04	**favorite** 형 매우 좋아하는	Blackie's favorite thing is running. 블래키가 좋아하는 것은 달리는 것이다.
05	**enjoy** 통 즐기다	He enjoys playing tennis. 그는 테니스 치는 것을 즐긴다.
06	**stop** 통 멈추다	They stopped running. 그들은 달리는 것을 멈추었다.
07	**begin** 통 시작하다	I began listening to music. 나는 음악을 듣기 시작했다.
08	**be sorry for** ~에 대해 미안해하다	I'm sorry for being late. (내가) 늦어서 미안하다.
09	**give up** 포기하다, 그만두다	He didn't give up making pancakes. 그는 팬케이크 만드는 것을 포기하지 않았다.
10	**sweep** 통 쓸다, 청소하다	sweeping the floor 바닥을 쓰는 것/바닥 쓸기

01	**treasure** ® 보물	looking for treasure 보물을 찾는 것/보물 찾기
02	**space** ® 우주	My dream is traveling to space. 내 꿈은 우주로 여행을 가는 것이다.
03	**chase** ⑧ 뒤쫓다	Tabby's hobby is chasing mice. 태비의 취미는 쥐를 뒤쫓는 것이다.
04	**marathon** ® 마라톤	His goal is running in the marathon. 그의 목표는 마라톤에서 달리는 것이다.
05	**laugh** ⑧ 웃다	Nami stopped laughing. 나미는 웃는 것을 멈추었다.
06	**paper doll** 종이 인형	Her hobby is making paper dolls. 그녀의 취미는 종이 인형을 만드는 것이다.
07	**tease** ⑧ 놀리다[장난하다]	Teasing your sister is not good. 네 여동생을 놀리는 것은 좋지 않다.
08	**vet** ® 수의사	Her dream is becoming a vet. 그녀의 꿈은 수의사가 되는 것이다.
09	**take care of** ~을 돌보다	My aunt's job is taking care of flowers. 우리 이모의 일은 꽃을 돌보는 것이다.
10	**bathroom** ® 욕실	She hates cleaning the bathroom. 그녀는 욕실을 청소하는 것을 몹시 싫어한다.

✖ 다음 영어에 알맞은 우리말 뜻을 빈칸에 쓰세요.

01   job   _____

02   dive   _____

03   dream   _____

04   favorite   _____

05   enjoy   _____

06   stop   _____

07   begin   _____

08   be sorry for   _____

09   give up   _____

10   sweep   _____

✖ 다음 우리말 뜻에 알맞은 영어를 빈칸에 쓰세요.

01   보물   _____

02   우주   _____

03   뒤쫓다   _____

04   마라톤   _____

05   웃다   _____

06   종이 인형   _____

07   놀리다[장난하다]   _____

08   수의사   _____

09   ~을 돌보다   _____

10   욕실   _____

01	**keep** ⑧ 계속하다	Ms. Lawrence kept crying. 로렌스 씨는 계속 울었다.
02	**mind** ⑧ 상관하다	Do you mind opening the window? 창문 좀 열어 주실래요?
03	**hope** ⑧ 바라다, 희망하다	He hopes to go to Belgium next year. 그는 내년에 벨기에에 가기를 바란다.
04	**expect** ⑧ 기대하다	We expect to win the next game. 우리는 다음 경기에 이기기를 기대한다.
05	**plan** ⑧ 계획하다	Danny plans to visit his grandfather in L.A. 대니는 로스앤젤레스에 사시는 자기 할아버지를 찾아뵐 계획이다.
06	**continue** ⑧ 계속하다	We continued sweeping the floor. 우리는 그 바닥을 계속 쓸었다.
07	**hairdresser's** ⑨ 미용실	She hates going to the hairdresser's. 그녀는 미용실에 가는 것을 매우 싫어한다.
08	**show** ⑧ 보여 주다, 알려 주다	This clock will show you when to wake up. 이 시계는 네게 언제 일어나야 할지 알려 줄 것이다.
09	**motorbike** ⑨ 오토바이	My uncle gave up riding his motorbike. 우리 삼촌은 오토바이 타는 것을 그만두셨다.
10	**eat out** 외식하다	I don't mind eating out for dinner. 나는 저녁 식사로 외식을 해도 상관없다.

01	**stay** ⑧ 계속 있다, 머무르다	I feel like staying at home today. 나는 오늘 집에 머물고 싶다.
02	**answer the phone** 전화를 받다	My grandpa is busy answering the phone. 우리 할아버지는 전화를 받느라 바쁘시다.
03	**get off** (탈것에서) 내리다	He knew where to get off the bus. 그는 어디에서 버스를 내려야 할지 알았다.
04	**whistle** ⑧ 휘파람을 불다	The tall man started whistling. 그 키가 큰 남자는 휘파람을 불기 시작했다.
05	**hunt** ⑧ 사냥하다	He taught his son how to hunt. 그는 자기 아들에게 사냥하는 법을 가르쳐 주었다.
06	**take medicine** 약을 먹다	I hate to take medicine. 나는 약 먹는 것을 무척 싫어한다.
07	**prepare** ⑧ 준비하다	My dad will be busy preparing breakfast on Sunday. 우리 아빠는 일요일에 아침 식사를 준비하느라 바쁘실 것이다.
08	**recipe** ⑲ 조리법	The recipe shows how to cook *bulgogi*. 그 조리법은 불고기를 요리하는 법을 알려 준다.
09	**cut in line** 새치기하다	He stopped cutting in line. 그는 새치기하는 것을 그만두었다.
10	**sail** ⑧ 항해하다	They continued sailing. 그들은 항해를 계속했다.

✖ 다음 영어에 알맞은 우리말 뜻을 빈칸에 쓰세요.

01   keep   _____

02   mind   _____

03   hope   _____

04   expect   _____

05   plan   _____

06   continue   _____

07   hairdresser's   _____

08   show   _____

09   motorbike   _____

10   eat out   _____

✖ 다음 우리말 뜻에 알맞은 영어를 빈칸에 쓰세요.

01 계속 있다, 머무르다 _____

02 전화를 받다 _____

03 (탈것에서) 내리다 _____

04 휘파람을 불다 _____

05 사냥하다 _____

06 약을 먹다 _____

07 준비하다 _____

08 조리법 _____

09 새치기하다 _____

10 항해하다 _____

Answers

01 셀 수 있는 명사와 셀 수 없는 명사

Quiz 01

1 주다
2 (잠을) 자다
3 숲
4 들고 있다, 나르다
5 주문하다
6 보통, 대개
7 가져오다
8 비누
9 사다
10 체육관

Quiz 02

1 break
2 yard
3 put
4 borrow
5 raise
6 catch
7 corn
8 crayon
9 vase
10 kettle

02 형용사와 부사

Quiz 01

1 사람들
2 비어 있는, 빈
3 빛나다, 반짝이다
4 재미있는, 흥미로운
5 형형색색의, 화려한
6 브로콜리
7 양동이
8 쉽게, 수월하게

9 꽤, 상당히
10 졸리운, 졸음이 오는

Quiz 02

1 famous
2 cross
3 clown
4 move
5 exciting
6 keep one's promise
7 forget
8 lizard
9 neighbor
10 on time

03 비교 (1)

Quiz 01

1 봄
2 먼
3 용감한
4 더러운, 지저분한
5 지혜로운, 현명한
6 인기 있는
7 방망이, 배트
8 마을
9 계절
10 편한, 편안한

Quiz 02

1 score
2 feel
3 snail
4 December
5 exam
6 cheap
7 cucumber

8 goldfish
9 great
10 slipper

Unit 04 비교 (2)

Quiz 01

1 메뚜기
2 가능한
3 돌, 돌맹이
4 ~에서 나가다
5 어두운, 캄캄한
6 이상한
7 붐비는
8 가까운
9 넓은, 너른
10 단단한

Quiz 02

1 scorpion
2 eagle
3 moth
4 quietly
5 throw
6 voice
7 ice hockey
8 be back
9 desert
10 hero

Unit 05 to부정사 (1)

Quiz 01

1 마술사
2 몹시 싫어하다

3 결정하다
4 몸무게를 줄이다
5 갑자기
6 취미
7 습관, 버릇
8 믿다
9 (충고나 지시 등을) 따르다
10 바느질하다

Quiz 02

1 engineer
2 seat belt
3 lend
4 wish
5 soldier
6 win
7 contest
8 pass
9 return
10 paper money

Unit 06 to부정사 (2)

Quiz 01

1 끝내다, 마치다
2 보내다
3 놀란, 놀라는
4 기쁜, 기뻐하는
5 불행한, 슬픈
6 눕다, 누워 있다
7 수수께끼
8 속상한, 마음이 상한
9 성공하다
10 잃어버리다

Quiz 02

1 think

Answers

2 prize
3 field trip
4 fresh
5 secret
6 report card
7 say good-bye
8 poor
9 cafeteria
10 cheer for

Unit 07 동명사

Quiz 01

1 일, 직업
2 뛰어들다, 다이빙하다
3 꿈
4 매우 좋아하는
5 즐기다
6 멈추다
7 시작하다
8 ~에 대해 미안해하다
9 포기하다, 그만두다
10 쓸다, 청소하다

Quiz 02

1 treasure
2 space
3 chase
4 marathon
5 laugh
6 paper doll
7 tease
8 vet
9 take care of
10 bathroom

Unit 08 동명사와 to부정사

Quiz 01

1 계속하다
2 상관하다
3 바라다, 희망하다
4 기대하다
5 계획하다
6 계속하다
7 미용실
8 보여 주다, 알려 주다
9 오토바이
10 외식하다

Quiz 02

1 stay
2 answer the phone
3 get off
4 whistle
5 hunt
6 take medicine
7 prepare
8 recipe
9 cut in line
10 sail

Grammar, ZAP!

VOCABULARY

단어장

심화 2

TOPIA

Grammar, ZAP!

ANSWER KEY

심화 2